COLLECTION ESSAIS LITTÉRAIRES

Langue et littérature au Québec de Marie-Andrée Beaudet
est le dixième titre de cette collection
dirigée par André Beaudet.

MARIE-ANDRÉE BEAUDET

Langue et littérature au Québec 1895-1914

L'impact de la situation linguistique sur la formation du champ littéraire

essai

l'HEXAGONE

Éditions de l'HEXAGONE
Une division du groupe
Ville-Marie Littérature
1000, rue Amherst, bureau 102
Montréal (Québec)
H2L 3K5
Tél.: (514) 523-1182
Télécopieur: (514) 282-7530

Maquette de couverture: Katherine Sapon
Photo de l'auteur: Jacques Grenier

Distribution: Diffusion Dimedia inc.
539, boulevard Lebeau
Saint-Laurent, Québec
II4N 1S2
Téléphone: (514) 336-3941; télex: 05-827543

Dépôt légal: 4e trimestre 1991
Bibliothèque nationale du Québec
Bibliothèque nationale du Canada

REMERCIEMENTS

Pour l'aide généreuse qu'ils m'ont apportée, je tiens à exprimer toute ma gratitude à Messieurs André Gaulin, Joseph Melançon, Clément Moisan, Denis Saint-Jacques et à Madame Susy Turcotte. Mes remerciements vont aussi aux chercheurs du Centre de recherche en littérature québécoise de l'Université Laval, aux chercheurs du Centre de sociologie européenne dirigé par Monsieur Pierre Bourdieu ainsi qu'au FCAR et au CRSH.

Introduction

Il y a plus de vingt-cinq ans, dans un texte intitulé «Une langue humiliée» (*Liberté,* mars/avril 1964), le romancier André Langevin écrivait:

> L'aliénation de notre langage est peut-être notre réalité la plus tragique [...]. J'avoue ne pouvoir aborder ce thème sans quelque gêne. Il se trouve au cœur de la contradiction fondamentale à laquelle se heurte tout romancier d'ici. [...] Il y a là comme un échec personnel qui s'ajoute à l'échec collectif. [...]

> Est-il besoin d'ajouter que l'écrivain, tributaire plus que d'autres des mots et de leur contenu, c'est-à-dire de la part de vie qui s'y libère ou s'y étrangle, fait son pain quotidien de l'insécurité de notre langage, y habite en permanence, et, s'il est lucide, ne peut que constater que la mauvaise lèpre qui le ronge menace de paralyser jusqu'à l'instinct de vie. [...] Nous ne pouvons ici continuer de penser par catégorie. Le langage d'un peuple n'étant pas, comme chacun sait, le pur produit d'une culture de laboratoire, mais en quelque sorte le visage que l'histoire lui a façonné, la mesure de sa liberté et de sa puissance de création, force nous est de reconnaître que le nôtre témoigne d'une longue impuissance.

Le problème soulevé par Langevin déborde largement le cadre d'une pratique d'écriture individuelle. Il pointe les conditions mêmes d'existence d'une langue littéraire au Québec. Précisons: d'une langue qui ne soit pas totalement coupée des réalités linguistiques du grand nombre.

L'interrogation est toujours actuelle. Elle est aussi fort ancienne. On la retrouve au centre de la correspondance entre Octave Crémazie et l'abbé Henri-Raymond Casgrain. Depuis le milieu du XIXe siècle, elle a été transmise au fil des ans et des événements par toutes les générations littéraires. À peu près tous les écrivains, à un moment ou à un autre, se sont prononcés sur la situation du français au Québec, les uns pour dénoncer l'incorrection de la langue de leurs compatriotes, les autres pour exprimer le sentiment de doute linguistique perpétuel qui, autrement et plus dramatiquement qu'ailleurs, accompagnait et minait leur travail. Encore récemment, de nombreux écrivains ont réitéré leur inquiétude quant à l'avenir du français au Québec[1]. Colloques, journées d'étude, manifestations, livres et numéros de revues ont réaffirmé l'attachement des écrivains à cette langue *incertaine* que l'histoire leur a léguée.

À certains égards, on peut dire que la question linguistique constitue l'un des lieux communs de la pensée au Québec. Mais elle constitue aussi sa pierre d'achoppement, tant il est vrai qu'on l'évoque souvent pour mieux l'éviter, qu'on en fait une évidence pour ne pas avoir à l'approfondir, ne pas avoir surtout à tirer les conséquences politiques qui s'imposent. Pourtant existent sur le sujet de grands textes-phares. Des écrivains, dans une tradition amorcée par le poète Albert Lozeau, ont témoigné de l'influence décisive de leur expérience linguistique sur l'élaboration de leur œuvre. Les noms de Paul Chamberland, Gérald Godin, Gaston Miron, Fernand Ouellette viennent spontanément à l'esprit. Ainsi Jacques Brault à la cérémonie de remise du prix David, en octobre 1986:

> [J]e ne cesse de me répéter, de dire de façons diverses mon exil dans ma patrie, la langue française d'ici, seul héritage que m'ont légué des parents pauvres à tous les points de vue[…][2].

Des chercheurs aussi, dont André Belleau et Lise Gauvin, se sont intéressés à la problématisation théorique des relations qui unissent les deux ordres de pratiques et, plus particulièrement, dans le cas de Lise Gauvin, aux modes d'inscription de l'oralité québécoise dans les œuvres.

S'il est évident que la situation particulière du français au Québec a préoccupé les écrivains, a inspiré l'écriture de textes et s'est même inscrite dans la texture des œuvres, comment — et c'est vers cette conclusion que nous tire l'article de Langevin — n'aurait-elle pas pesé, dès l'origine, sur la constitution du champ littéraire? En d'autres mots, comment la pensée critique aurait-elle pu échapper à la détermination de la situation linguistique, aux particularités du français au Québec? Mais comment en parler? Comment penser ce qui vous pense?

J'ai résolu de scruter les textes critiques publiés quelques années avant que ne s'installe la domination du mouvement régionaliste, à une époque donc où les luttes pour définir la littérature étaient très vives. J'ai retenu des textes de critiques importants comme Camille

Roy, Jules Founier, Louis Dantin et Charles ab der Halden ainsi que les écrits qui ont accompagné la création de groupes ou d'institutions à caractère littéraire. Il s'agissait de retrouver au fondement des positions littéraires tenues par des auteurs ou par des groupes les séries de considérants d'ordre linguistique qui les avaient inspirées. Au départ de l'analyse: l'hypothèse que *le statut du français au Québec constitue une détermination capitale, une condition d'existence qui a infléchi l'évolution de la littérature et qu'il est possible de voir cette détermination à l'œuvre dans les discours critiques.*

Il aurait fallu et j'aurais souhaité pouvoir étendre cette recherche jusqu'aux années de la Révolution tranquille qui, sur le plan linguistico-littéraire, ont provoqué un véritable renversement des positions antérieures. Mais l'abondance des textes et le sentiment de clôture qu'a fait apparaître un premier survol de l'évolution littéraire qui a marqué le début du siècle m'ont obligée à retenir une période plus courte: celle de 1895-1914, période fondatrice à maints égards.

Une période clé

L'époque 1895-1914 coïncide avec la montée d'une véritable critique littéraire et l'apparition de multiples groupes et associations à caractère littéraire. Quelques-uns des traits fondamentaux du champ littéraire québécois — tel qu'il s'exprimera avec force jusqu'en 1937[3] — se structurent durant ces années. La période que couvre la présente étude s'ouvre avec la fondation de l'École littéraire de Montréal, définie dans ses statuts comme une association ayant «pour principale fonction de travailler [...] à la conservation de la langue française et au développement de notre littérature nationale[4]». Elle se referme avec la publication en feuilleton, dans le quotidien français *Le Temps,* du roman *Maria Chapdelaine* qui, en dépit des controverses soulevées, a longtemps représenté un modèle de réussite littéraire au Québec[5].

L'année 1914 est importante à bien des égards. Elle marque, entre autres, une rupture dans le mouvement d'échanges intellectuels entre le Québec et la France: rupture d'autant plus significative qu'au cours des deux décennies précédentes, ces échanges avaient connu un essor considérable. Année du début de la Première Guerre mondiale, 1914 précipite le retour au bercail de quelques écrivains «parisianistes» dont le critique Marcel Dugas. Cette rentrée forcée constitue un événement fort important dont jusqu'ici on n'a pas suffisamment fait état. Elle oblige les uns et les autres, c'est-à-dire ceux qui appuient les positions linguistiques et littéraires de la Société du parler français et ceux qui demeurent fidèles à l'esprit de renouveau incarné par la personne et l'œuvre d'Émile Nelligan, à affirmer plus fermement leur credo littéraire et à tenter de le traduire dans de nouvelles stratégies de présence au champ. Les déplacements qui s'ensuivent provoquent une remise en question du nouvel équilibre que le groupe des «terroiristes» avait tenté d'établir en sa faveur. L'année 1914 clôt, à n'en pas douter, l'une des périodes les plus décisives de l'histoire littéraire du Québec. Entre les deux grands moments, 1895 et 1914, plusieurs événements viennent justifier un tel découpage historique. Le plus important est la «querelle» qui oppose Jules Fournier à Charles ab der Halden. Cette polémique pose au champ littéraire la question qui est l'enjeu premier de toutes les luttes de la période. Affirmer que «la littérature canadienne-française n'existe pas», deux ans après le prononcé de la célèbre conférence de Camille Roy, «la Nationalisation de la littérature canadienne», revient à nier au groupe dominant la légitimité nécessaire à l'imposition de sa définition du littéraire national.

L'époque en est une de querelles et, par voie de conséquence, de profondes transformations. Dans un récent essai (1987) consacré à l'image du Canada en France au cours des années 1850-1914, Sylvain Simard, corroborant l'une des conclusions des travaux de Claude Galarneau (1970), corrige une perception largement répandue, à savoir qu'avant la Deuxième Guerre mondiale les relations du Québec avec la France étaient pratiquement inexistantes. Statistiques à l'appui, le chercheur démontre comment ces relations reprises légalement au milieu du XIXe siècle prennent progressivement une ampleur telle que l'on peut, toutes proportions gardées, les comparer à celles qui ont marqué les années soixante. Le nombre accru de publications (livres et revues) sur le Canada qui ont vu le jour en France pendant cette période illustre l'importance du phénomène.

Dans l'élaboration d'un discours plus articulé sur le littéraire national, les relations avec la France ont une influence non négligeable. La querelle qui oppose Jules Fournier au critique Charles ab der Halden en est un exemple patent. L'intérêt qu'une certaine France[6], monarchiste et catholique, manifeste à cette époque envers la littérature qui se crée sur les rives du Saint-Laurent contribue à ouvrir et à alimenter le débat sur l'idée de «nationalisation». On connaît la part prépondérante prise à cet égard par Camille Roy au retour de ses études littéraires à Paris. Il apparaît comme une figure dominante à un moment de l'histoire où se joue, à travers luttes et conflits divers, l'imposition d'une image professionnelle des métiers d'écrivain et de critique.

C'est d'ailleurs durant ces années comprises entre la fondation de l'École littéraire de Montréal et la publication de *Maria Chapdelaine* que sont proposés et débattus avec vigueur les critères de classement des œuvres qui domineront le champ pendant trente ans. Au début du XXᵉ siècle, l'espace littéraire ressemble à un immense damier dont plusieurs cases sont inoccupées. Les principaux acteurs de la période précédente, les Crémazie, Lareau, Buies et Casgrain ont disparu ou sont sur le point de quitter la scène. Octave Crémazie décède en 1879, Edmond Lareau en 1890, Arthur Buies en 1901 et Henri-Raymond Casgain en 1904. Les nouveaux «entrants» rencontrent peu d'opposition de la part de leurs prédécesseurs, mais doivent faire face à des adversaires aussi déterminés qu'eux à faire reconnaître la légitimité de leur action «consacrante» ou «auto-consacrante».

Pour la première fois dans l'histoire littéraire du Québec, une avant-garde poétique se manifeste. Qu'on pense à Émile Nelligan et au groupe d'amis réunis autour de Guy Delahaye. Sans doute n'étaient-ils pas les premiers à défendre une approche moderne de la littérature, radicalement différente de la production de l'époque. D'autres avant eux, comme Eudore Évanturel, avaient déjà donné à leurs œuvres ce caractère d'originalité et d'audace formelle qui définit la modernité au tournant du siècle, mais ces prédécesseurs — peu nombreux, il faut le dire — plus préoccupés d'art que de mission sociale, n'ont pas cherché à «théoriser» leurs pratiques ni tenté de les faire reconnaître comme exemplaires.

Parallèlement à l'irruption de cette première avant-garde, le métier de critique se professionnalise de plus en plus et, grâce à l'appui des milieux de l'enseignement et de la Société du parler français au Canada, des critiques comme Camille Roy consolident leur position déjà avantageuse.

La rencontre de ces diverses approches de la littérature met en cause toute la série d'*a priori* linguistiques qui ont déterminé les prises de position littéraires et fait voir *jusqu'à quel point la situation concrète du français au Québec impose des limites au «jeu» littéraire*. C'est à l'articulation de tous ces éléments que se consacre la présente étude.

Deux changements majeurs affectent la morphologie de l'espace littéraire pendant ces années. Le premier concerne la multiplication des groupes. Christophe Charle (1979) y voit un élément essentiel de restructuration littéraire. Dans le cas du Québec, il serait plus juste de parler de structuration. Le deuxième grand changement concerne la création de lieux d'intervention littéraire. À cette époque se manifeste une volonté d'inscrire institutionnellement les diverses activités linguistico-littéraires. Dans son ensemble, le champ aspire à la pérennité.

Autonome ou non, le champ littéraire s'organise, travaille à ériger des frontières qui lui permettront de projeter sur un plan national comme sur un plan international une image cohérente de son existence. Empruntant le vocabulaire de Camille Roy, on pourrait dire, en simplifiant, que l'ère des pionniers est révolue et que le règne qui s'impose appartient désormais aux «ouvriers» d'une littérature nationale. Je précise que, dans cet ouvrage, la notion de «littérature nationale» ne fera pas l'objet d'un examen critique. La notion me semble suffisamment admise partout dans le monde pour que son sens général s'impose sans qu'il soit nécessaire de le définir plus avant. La forme hyperbolique qu'a prise au Québec l'idée de «nationalisation» ne saurait faire oublier que toute nation aspire comme «naturellement» — d'une façon plus manifeste depuis le romantisme — à présenter ses productions culturelles comme l'expression de son être propre, de sa singularité parmi les autres singularités du monde. Le phénomène de la «mondialisation» de la littérature, telle que la souhaitait Goethe, semble de plus en plus le fait d'une métaconsécration soumise aux jeux de pouvoir des nations dominantes. «Toujours prêt à répondre à l'objection intérieure qui habite son propre discours», comme l'a si justement observé André Belleau (1986, p. 125), le Québécois se sent obligé de justifier ce qu'ailleurs on énonce sereinement. Une véritable critique de la notion aurait nécessité une tout autre démarche orientée vers une vision prospective de l'évolution des mentalités. Ma contribution est plus modeste.

La reconstitution des grands mouvements de fond qui agitent le champ durant cette période, 1895-1914, m'a obligée à certains choix. Pour rendre compte du dynamisme de ce processus de restructuration, j'ai adopté une construction plus éclatée que linéaire. Certains événements, parmi les plus déterminants, réapparaissent d'un chapitre à l'autre, offrant ainsi sur le champ une vision circulaire de leur impact. Un même discours se voit soumis aux réactions qu'il provoque chez d'autres intervenants. Par exemple, l'irruption d'une œuvre comme celle d'Émile Nelligan est reçue, selon les positions occupées par les divers écrivains et critiques dans le champ littéraire de l'époque, d'une façon non seulement différente mais aussi interactive. En plus d'offrir l'occasion d'éprouver les critères de classement des uns et des autres, l'œuvre de Nelligan, portée par le commentaire critique de Louis Dantin et l'appui qu'à travers Charles ab der Halden lui accorde symboliquement le champ littéraire français, représente très tôt un véritable enjeu littéraire.

J'aborde en conclusion la question qui est sous-jacente à la majorité des interventions de la période, celle de l'autonomie littéraire. La seule énumération des appellations successives présentes dans les textes étudiés — littérature canadienne, littérature française, littérature canadienne-française, en oubliant le jeu des majuscules qui met l'accent sur l'un ou l'autre des pôles de référence — indique le degré de complexité de la question. À cette difficulté première se superpose le regard de l'observateur, mon propre regard comme celui du lecteur, qui sait que cette littérature se reconnaît comme québécoise depuis les années soixante. Comment dire autrement: le récit de ces métamorphoses nominatives constitue à lui seul la plus exacte métaphorisation du parcours critique d'une langue et d'une littérature: les nôtres.

CHAPITRE I

Présentation de la démarche

Il est peu de questions aussi capitales pour le
Canada français que celle de la langue.

CHARLES AB DER HALDEN
*Nouvelles Études de littérature
canadienne française,* 1907.

On parle de plus en plus de littérature en termes d'institutions, du moins au Québec où les revues, qu'elles soient savantes ou destinées à un plus large public, se disputent le privilège d'offrir à leurs lecteurs, dans un article ou une livraison spéciale, la vue la plus imprenable sur le sujet.

Effet de mode sans doute que cette soudaine et rapide conversion théorique. Fait d'époque aussi, car la littérature — plus justement le phénomène littéraire — ne saurait échapper au fléchissement de la croyance (la «fides») qui atteint aujourd'hui toutes les activités à caractère symbolique.

L'engouement pour l'analyse institutionnelle n'est pas étranger à l'inconsistance actuelle de la notion de «littérature», ou plus précisément à la perte du consensus tacite qui a porté et l'idée et la chose jusqu'à nous. Qu'est-ce que la littérature? Depuis Jean-Paul Sartre qui s'est fait le porte-parole des interrogations de sa génération, la question rebondit de façon épisodique, sans qu'aucune définition ne parvienne à recréer l'unanimité perdue.

Quelques éléments de réponse sont pourtant avancés. Par exemple, l'énoncé «est littéraire ce qui est défini comme littéraire[1]» apporte à la célèbre formule de Roland Barthes — «la littérature, c'est ce qui s'enseigne un point c'est tout» — un prolongement intéressant qui a pour effet de retourner la question sur elle-même, la réadressant aux détenteurs du pouvoir de définition. Qui définit ce qui est littéraire et ce qui ne l'est pas? Les écrivains? Les éditeurs? Les critiques? L'appareil scolaire? Les lecteurs?

Au-delà du jeu de miroirs, l'interrogation fait lever l'un des caractères premiers du phénomène — du moins dans la version moderne du terme «littérature» — qui consiste précisément à s'approprier le pouvoir de définir le littéraire, d'en ériger les frontières, de classer les œuvres en produits conformes et non conformes. À preuve, les luttes des avant-gardistes qui visent essentiellement à invalider la définition admise et à faire reconnaître leurs pratiques comme les seules légitimes, leurs critères comme les nouveaux classèmes de la valeur littéraire.

Le vacillement du sens accolé au mot «littérature» est inhérent aux avatars de son autonomisation. Libéré des mainmises extérieures, que ce soit celles du pouvoir politique ou celles du pouvoir clérical, l'espace littéraire ne peut qu'être défini de l'intérieur et devenir, par le fait même, l'enjeu primordial. En somme, en accédant à une plus grande autonomie, la littérature a hérité du même coup de la fonction axiologique autrefois remplie par le champ du pouvoir, car, comme l'écrit Joseph Melançon: «La littérature ne fait pas que reconnaître la valeur littéraire: elle la crée[2].»

Cependant, pour l'historien qui étudie les œuvres du passé, cette recherche de définition ne saurait constituer un préalable. La question ne devient pertinente qu'à travers l'observation des formes que revêt ce vacillement, que dans l'établissement de la série des définitions qui ont été proposées ou reconnues au fil des révolutions littéraires. C'est ce que Barthes exprimait lorsqu'il se demandait «que peut être, littéralement, une histoire de la littérature, sinon l'histoire de l'idée même de la littérature[3]?» En même temps qu'il constate l'impossibilité dans laquelle il se trouve d'immobiliser son objet dans un énoncé unique, l'observateur se voit obligé de constater avec Robert Escarpit:

> Pourtant la littérature existe. Elle est lue, vendue, étudiée. Elle occupe les rayons de bibliothèques, des colonnes de statistiques, des horaires d'enseignement. On en parle dans les journaux, à la télévision. Elle a ses institutions, ses rites, ses héros, ses conflits, ses exigences. (1970, p. 12.)

Si l'essence échappe, le phénomène, lui, s'impose. Il s'agit donc de déterminer le biais par lequel nous allons l'aborder.

Un destin sociocritique

Au Québec, l'approche littéraire qui a connu le destin le plus heureux en même temps que le plus durable participe d'une «sociologie de la littérature». On peut même dire, sans trop forcer la vérité, que la fortune de cette approche est antérieure aux écrits théoriques fondamentaux qui ont fixé les grands paramètres de l'analyse. Avant Lukacs (*La Théorie du roman,* 1920) et avant Goldman (*Le Dieu caché,* 1956), le discours québécois s'est employé à situer les œuvres en regard des conditions sociales de leur production. La société canadienne-française expliquait l'œuvre; l'œuvre expliquait la société canadienne-française. Il n'est qu'à relire les textes de présentation des divers manuels d'histoire de la littérature canadienne-française qui ont été écrits ici, ou encore la conférence de Camille Roy sur la «Nationalisation de la littérature canadienne[4]», texte fondateur dans la définition du littéraire au Québec, pour se rendre compte de l'apport déterminant d'un interprétant sociologique dans le discours:

> Les conditions dans lesquelles se développe notre littérature ne sont pas précisément celles que les circonstances ont faites aux littératures européennes; elles se compliquent, en ce pays, de notre situation de peuple colon, issu du peuple français[5].

La persistance du recours «sociocritique» dans l'explication du phénomène littéraire au Québec est si marquée qu'André Belleau a pu la décrire comme la «tentation constante de la conscience littéraire québécoise[6]». Commentant cette sorte de discours sociologisant général pratiqué depuis toujours au Québec, André Belleau soutient ceci: «On est enclin à parler d'une critique quasi «spontanée» tant elle s'avère largement répandue et tout à fait inconsciente de son caractère moralisateur» (p. 290). L'observation est juste en ce qui concerne le discours littéraire du XXe siècle. Encore en 1964, le Rapport Parent faisait la proposition suivante: «L'enseignement de cette littérature pourrait s'orienter en partie vers une étude des aspects sociologiques que comportent les œuvres littéraires et se rattacher, de cette façon, à une sorte d'anthropologie culturelle ou de psychologie nationale» (Gouvernement du Québec, tome III, p. 41). Par contre, cette inclinaison intellectuelle qui paraît spontanée n'en demeure pas moins le produit, l'héritage construit, d'une histoire littéraire.

Il n'est pas nécessaire d'épiloguer sur les facteurs historiques qui sont à l'origine de cette détermination discursive. À la suite de la défaite de 1760, une formation sociale composée de quelque soixante mille colons français — qui épousera très tôt les contours de la société canadienne-française — se voit contrainte à se replier sur elle-même pour sauvegarder ses acquis linguistiques, culturels et religieux. Moins d'un siècle plus tard, les Canadiens, ainsi qu'on les appelle à l'époque, doivent essuyer un autre important revers. Un revers plus marquant que le premier selon l'essayiste Heinz Weinmann[7] qui — contraire-ment à la majorité des historiens — voit dans la tournure des événe-ments de 1837-1838, la défaite d'un peuple constitué, la défaite de ses espoirs collectifs, alors qu'en 1760, ce serait davantage la France qui aurait perdu aux mains de l'Angleterre. Faucher de Saint-Maurice ne prétendait pas autre chose lorsqu'il écrivait, en 1890, dans *Resterons-nous Français?*: «Nous avons été cédés mais nous n'avons jamais été conquis.» En revanche, la défaite des patriotes, toujours selon Heinz Weinmann, aurait imprimé dans l'inconscient collectif une marque plus profonde, plus déterminante, qui agirait toujours à la manière d'un «refoulé».

Dans ce contexte, le projet d'une littérature nationale, formulé, il ne faut pas l'oublier, dans le prolongement des conclusions du Rapport Durham (1839) venait comme «naturellement» s'inscrire dans un projet plus global de résistance et d'affirmation nationale. L'urgence a réuni les deux destins. La suite de l'histoire politique n'a pas jusqu'ici favorisé leur séparation:

> Quand un peuple est dépossédé de tant de manières de son pays, sans véritable prise politique ou économique sur son destin, comment ne recourrait-il pas au rêve compensatoire? Comment l'idéologie ne lui serait-elle pas un refuge[8]?

Lorsqu'on évoque la longue tradition «sociologisante» du discours littéraire québécois, on évoque en fait plus une «flexion» de la pensée qu'une véritable méthode d'analyse. L'apport critique de Jean-Charles Falardeau (*Notre société et son roman*, 1967) marque à cet égard un point tournant. Ses travaux apportent à cette vision traditionnelle un cadre théorique et une approche nourrie par une véritable formation de sociologue. Sa contribution essentielle et ses recherhes ont conduit d'autres chercheurs, dont André Belleau, à poursuivre plus avant quel-ques-unes de ses intuitions.

La notion d'institution ou une institution en guise de littérature

Si l'on reconnaît, d'une part, que l'apparition des premières manifestations littéraires au Québec a entraîné la création d'une interprétation de type sociologique, peut-on pour autant soutenir avec Gilles Marcotte que l'institution littéraire au Québec «précède les œuvres [et] se crée dans une indépendance relative aux œuvres[9]»? Dans son article, Marcotte oppose deux conceptions du littéraire, l'une incarnée par Octave Crémazie et l'autre par James Huston et l'abbé Henri-Raymond Casgrain. La première, modeste et réaliste, croit que la littérature canadienne est vouée «à la consommation interne»; la seconde, messianique et plus ambitieuse, souhaite voir cette «nouvelle littérature nationale» prendre place parmi les autres littératures du monde. Le débat, on le voit, se situe au niveau des destinées futures de la production littéraire canadienne, et il engage bien plus, en cette fin de XIXe siècle, des individus qu'une véritable institution littéraire. Si j'évoque cette réflexion de Gilles Marcotte, c'est qu'elle me semble exemplaire de l'utilisation flottante qu'on fait trop souvent du terme «institution».

Chez Marcotte, comme chez bien d'autres, le terme semble contenir en creux celui de «mystification» ou de «manipulation». Il désigne la contrainte, le statisme, en fait le non-littéraire qui s'autorise du littéraire pour lui imposer son pouvoir et son contrôle. Sous la plume de certains écrivains[10], l'institution se confond avec la critique surtout journalistique. Derrière le mot «institution», les journalistes littéraires, eux, décèlent l'ingérence de la critique universitaire. En somme, comme l'écrit Lise Gauvin: «Quand on parle d'institution, on a constamment l'impression que celle-ci est rejetée dans un autre lieu et qu'à la limite, *l'institution, c'est le pouvoir de l'autre[11]*».

«Institution» *versus* «champ»

Reprochant aux principaux définisseurs de la notion d'«institution» leur incapacité de prendre en charge la dimension historique de la littérature, la nature de son mouvement et de ses luttes,

Lucie Robert (1989) estime qu'on a jusqu'ici plus théorisé «l'institué» que «l'instituant». Elle suggère, avec justesse, d'aborder les deux versants du phénomène non pas comme «objet» mais comme «processus».

Dans ce débat sur la pertinence des «concepts», comme dans celui qui porte sur la définition de la littérature, un réflexe pragmatique doit nous détourner de la recherche d'une définition unique, qui s'imposerait avec un caractère d'évidence et de vérité transhistorique. Plus que la définition importe le degré d'*opérationnalité* de la notion. Ce qu'elle offre à l'analyse.

À cet égard, les travaux de Claude Lafarge (1983), de Christophe Charle (1981; 1990), de Rémy Ponton (1984), d'Anna Boschetti (1985), d'Alain Viala (1985; 1990) et d'Anne-Marie Thiesse (1984; 1991) illustrent, hors de tout doute, la portée heuristique de la théorie du champ.

Plus connus, les ouvrages de Viala et de Boschetti[12], portant dans le premier cas sur le XVIIᵉ siècle et dans le second sur Sartre, ont fait la preuve que la notion de «champ littéraire» permet d'apporter à des corpus les plus divers et déjà étudiés un éclairage neuf, d'une pertinence certaine.

Le grand avantage qu'offre ce type d'analyse sur les approches sociologiques antérieures, c'est de reconnaître une spécificité à l'espace social qu'est la littérature. La théorie du champ pose au départ que les relations qui unissent le champ littéraire aux autres champs sociaux, au champ du pouvoir notamment, et les changements qui s'y produisent sont retraduits dans le champ littéraire selon des séries de médiations, de «prismes», dirait Alain Viala, *qui lui sont propres*. L'analyse, en terme de «champ», permet d'étudier ces «prismes» particuliers à travers lesquels les faits se réfractent et signalent leur appartenance.

Quelques définitions

La notion de «champ littéraire» permet de prendre en charge le caractère fondamentalement mouvant et conflictuel de ce grand ensemble tout à la fois matériel et discursif qu'est la littérature:

[Le] champ (littéraire, artistique, philosophique, etc.) n'est ni un «milieu» au sens vague de «contexte» ou de «social background» (par opposition au sens fort, newtonien, que réactive la notion de champ, ni même ce qu'on entend d'ordinaire par «milieu littéraire» ou «artistique», c'est-à-dire un univers de relations personnelles entre les artistes ou les écrivains, mais un *champ de forces* agissant sur tous ceux qui entrent dans cet espace et différemment selon la position qu'ils occupent (soit, pour prendre des points très éloignés, celle d'auteur de pièces à succès ou celle de poète d'avant-garde) en même temps qu'un *champ de luttes* visant à transformer ce champ de forces[13].

Choisir la notion de «champ» plutôt que celle d'«institution», dans la perspective des divers emplois dont celles-ci ont fait l'objet jusqu'ici, revient à privilégier une vision du littéraire qui s'exprime plus comme lieu de conflit, comme succession de seuils et de ruptures, et davantage comme recherche des lois présidant à ce mouvement que comme recherche de normes fixant les étapes de ce mouvement. Dans un article intitulé «Le champ littéraire. Préalables critiques et principes de méthode» (1984, p. 17), Pierre Bourdieu explique pourquoi «on ne gagne rien à remplacer la notion de champ littéraire par celle d'«institution»:

[O]utre qu'elle risque de suggérer, par ses connotations durkheimiennes, une image consensuelle d'un univers très conflictuel, cette notion fait disparaître une des propriétés les plus significatives du champ littéraire, à savoir son faible degré d'institutionnalisation. Ceci se voit, entre autres indices, à l'absence totale d'arbitrage ou de garantie juridique ou institutionnelle dans les conflits de priorité ou d'autorité, et plus généralement dans les luttes pour la défense ou la conquête des positions dominantes [...].

Partageant cet examen, j'utiliserai la notion d'institution pour désigner des faits d'ordre institutionnel, c'est-à-dire inscrits dans une forme reconnue, présentant ce visage de stabilité et d'autorité qui caractérise l'institution. La notion d'institutionnalisation, quant à elle, rendra compte du processus par lequel des faits ou des lieux accèdent à une forme instituée. L'espace spécifique dans lequel ces phénomènes institutionnels ont lieu et qui permet qu'ils aient lieu, à travers luttes et conflits, consensus et stratégies de rupture, je l'appellerai «champ». Mais c'est ici la pratique, le travail sur le terrain qui permettra d'ajuster et de préciser ce cadre théorique. En cours de route, la nécessité de définir plus avant certains éléments de ce cadre théorique s'imposera d'elle-même. Agissant de façon déclarée mais aussi et surtout souterraine, la théorie du champ se dévoilera au fur et à mesure des dévoilements qu'elle aura suscités.

Construction de l'objet

La problématique générale à l'origine de cette recherche a déjà donné lieu à quelques travaux. Le caractère d'évidence qu'il y a à rapprocher le phénomène littéraire du phénomène linguistique n'échappe à personne. Traditionnellement, les cours de littérature venaient s'inscrire dans le cadre plus vaste de l'apprentissage du français. Si les pratiques pédagogiques actuelles ont plutôt tendance à loger l'enseignement du littéraire à l'enseigne des techniques de la communication, la corrélation fondamentale demeure. La littérature est fille du langage. Son existence est inséparable de celle de la langue comme de celle de la société:

> Immédiatement, la société est donnée avec le langage. La société à son tour ne tient ensemble que par l'usage commun de signes de communication. Immédiatement, le langage est donné avec la société. Ainsi chacune de ces deux entités, langage et société, implique l'autre[14].

Sous une forme plus lapidaire, Benveniste devait reprendre, au moment de sa Leçon inaugurale au Collège de France, l'essentiel de son propos: «La langue, c'est le social même», ce qui amènera Barthes à affirmer que *la Langue,* «ce corps de prescriptions et d'habitudes commun à tous les écrivains d'une époque [...] est un objet social par définition, non par élection. Nul ne peut, sans apprêts, insérer sa liberté d'écrivain dans l'opacité de la langue, parce qu'à travers elle c'est l'Histoire entière qui se tient complète et unie à la manière d'une Nature[15]». Conscient de cette même réalité, Mikhail Bakhtine (1977 pour la version française) avait dénoncé dès 1929 «l'objectivisme abstrait» pratiqué par l'École de Genève. Il lui reproche de séparer langage, langue et parole et de limiter l'objet de la linguistique à l'étude de la langue. Cette séparation opérée par l'École de Genève contribue à dissocier ce qui, aux yeux de Bakhtine, est indissociable, c'est-à-dire les lois du fonctionnement de la langue et les conditions sociales qui contribuent à déterminer les pratiques singulières comme les pratiques collectives. Pour Bakhtine, l'une des caractéristiques premières d'une langue vivante est d'être traversée par une dynamique en constante évolution: «La langue vit et évolue historiquement dans la communication verbale concrète, non dans le système linguistique abstrait des formes de la langue, non plus que dans le psychisme individuel des locuteurs.» (p. 137) Cette insistance à affirmer la nature concrète de la langue, dans son inscription sociale et historique, l'amènera à définir l'énon-ciation, toute énonciation, comme «une réponse à quelque chose», une réponse engagée nécessairement «dans la chaîne des actes de parole»:

> [T]oute inscription prolonge celles qui l'ont précédée, engage une polémique avec elles, s'attend à des réactions actives de compréhension, anticipe sur celles-ci, etc. [...] elle est orientée vers une lecture dans le contexte de la vie scientifique ou de la nécessité littéraire du moment, c'est-à-dire dans le cadre de l'évolution de la sphère idéologique dont elle est partie intégrante (p. 105-106).

Si, pour Bakhtine, la langue est une «arène» où se jouent les conflits sociaux, pour Bourdieu elle est en plus un lieu soumis à l'imposition d'une valeur. Très près de Bakhtine dans ce postulat qui fonde «l'économie des échanges linguistiques«, à savoir qu'«il n'y a pas de mots neutres[16]», Bourdieu apporte à l'analyse sociale de la langue des notions qui peuvent éclairer l'approche historique de la situation du français au Québec. Parmi ces notions, trois apparaissent capitales: celle de «marché», celle de «capital symbolique» et celle d'«habitus».

Toutes les langues et tous les parlers à l'intérieur d'une même langue ne se valent pas dans la réalité sociale. Certaines langues, à un moment de l'histoire, confèrent à ceux qui les utilisent un pouvoir et un prestige supérieurs. Par exemple, l'anglais jouit présentement d'une très grande faveur auprès des disciplines scientifiques; à valeur scientifique égale, un article publié en anglais connaîtra une fortune de diffusion plus considérable que s'il avait été publié en néerlandais ou en italien. De même pour les littératures. Henry de Montherlant disait que l'autorité d'un écrivain «que cela soit juste ou non, sera toujours dans un certain rapport avec l'autorité qu'a son pays dans le monde[17]». On pourrait ajouter: au prestige que possède sa langue dans le monde.

Or, de la même façon qu'il existe un marché sur lequel les diverses grandes langues du monde trouvent leur valeur d'usage et d'échange, il existe un marché sur lequel les diverses pratiques d'une même langue — tant les variantes que les niveaux de langue — se voient classées et évaluées selon leur degré de conformité avec la pratique linguistique instituée. C'est ainsi, comme le fait remarquer Pierre Bourdieu dans *Ce que parler veut dire* (1982), qu'en situation officielle, c'est-à-dire là où l'acquisition d'un capital symbolique est en jeu, on verra des locuteurs originaires de régions où le français, dans son lexique comme dans son accent, diffère de celui parlé dans la capitale, chercher à gommer les différences et à mimer le plus fidèlement possible l'usage «standard».

Un marché linguistique élargi: le cas de la France

En France, l'unification linguistique s'est faite dans le sillage de la révolution de 1789. Si déjà, du XVIe au XVIIe siècle, le dialecte de l'Île de France commence à s'imposer comme la langue de la cour, reléguant par là les autres pratiques au rang de «patois», les pratiques régionales réussissent à conserver une relative autonomie et une relative légitimité[18]. Une forme de bilinguisme s'instaure dans laquelle les nobles et les notables des diverses régions, à la fois bien au fait de l'usage de la cour et de l'usage régional, servent en quelque sorte de traducteurs et d'intermédiaires entre le pouvoir royal et le peuple. Lors de la révolution française, dans une volonté de préserver les acquis révolutionnaires et de contribuer à construire un société basée sur de nouveaux principes, le français devient la langue officielle de tous les Français. Et c'est l'école qui assure la réussite de ce vaste programme d'unification linguistique de la France républicaine.

> Bref, il ne s'agit pas seulement de communiquer mais de faire reconnaître un nouveau discours d'autorité, avec son nouveau vocabulaire politique, ses termes d'adresse et de référence, ses métaphores, ses euphémismes et la représentation du monde social qu'ils véhiculent. Ce qu'un tel discours énonce et impose, les intérêts nouveaux de groupes nouveaux, est indicible dans les parlers locaux façonnés par des usages liés aux intérêts spécifiques de groupes paysans[19].

L'imposition d'une pratique linguistique érigée au statut de langue officielle a pour effet de déclasser les autres pratiques en les écartant des divers privilèges et des divers pouvoirs rattachés à l'exercice de l'usage légitime de la langue. À plus long terme, cette politique d'unification linguistique, amorcée par la grande enquête de Grégoire sur les patois[20], contribue à créer une image de la campagne où prédominent les notions de «distance» et de «corps inerte» enrichissant le «trésor national». Cette nouvelle mythologie de la ruralité, née du regard des révolutionnaires parisiens et peut-être plus encore du regard compromis des notables de province chargés d'assurer la traduction des savoirs et des pouvoirs de la Révolution, donnera naissance un siècle plus tard au culte des «petites patries», manière de retournement positif de l'exclusion, qui culmine dans le régionalisme littéraire.

Un marché linguistique unifié: le cas du Québec

Au Québec, l'unification linguistique s'est, pour ainsi dire, faite très tôt et d'elle-même. Outre le fait que le «françoys» était la langue administrative de la colonie, les conditions de vie dans lesquelles se trouvaient placées les premières générations de colons — l'isolement géographique, les conditions climatiques particulièrement rudes, l'absence de hiérarchie intellectuelle — ont contribué à réduire les écarts entre les divers parlers régionaux transplantés en Nouvelle-France et à créer un «parler» homogène. Historiquement, le français a rapidement trouvé au Québec un espace propice à son unification, avant la France et sans l'intervention d'aucune mesure coercitive:

> Ainsi, la colonisation du Canada sous l'Ancien Régime fut un événement «révolutionnaire» avant la lettre. Il augurait, d'une certaine manière, la révolution de l'ordre linguistique qui allait conduire à l'émergence de la langue nationale des Français. (Barbaud, 1984, p. 184.)

Pour Philippe Barbaud, le facteur déterminant dans la francisation rapide de la Nouvelle-France est attribuable à l'action des femmes. Ce sont elles qui, malgré leur infériorité numérique, assurent, grâce à une sédentarité plus grande et à leur présence éducatrice auprès des enfants, l'émergence d'une langue commune. Selon Barbaud, l'extinction des patois au Québec a dû survenir entre 1680 et 1700.

Toutefois, l'histoire véritable de la langue française au Québec reste à écrire. De nombreuses études ont permis, depuis le XIXᵉ siècle, d'enregistrer les variantes qui ont caractérisé et caractérisent encore aujourd'hui, sur le plan lexical comme sur le plan phonologique, le français parlé au Québec, mais se fait toujours attendre cette vaste reconstitution à caractère historique qui retracerait les grandes étapes de l'évolution linguistique des Québécois. Guy Bouthillier et Jean Meynaud, dans l'introduction à leur ouvrage *Le Choc des langues au Québec. 1760-1770* en font l'observation:

> Ainsi dispose-t-on aujourd'hui, dans la perspective d'une linguistique politique, d'une certaine mosaïque d'études monographiques ou sectorielles *mais non d'un essai d'explication générale.* Personne ne conteste le poids de la langue dans la politique, l'importance du discours dans le conditionnement des hommes, mais peu nombreux restent les analystes politiques qui tentent d'éprouver les idées reçues ou de dépasser les cas particuliers. (1972, p. 4-5.)

Dans le domaine littéraire, l'existence d'une telle étude d'envergure s'avérerait précieuse. À défaut de celle-ci, nous devons nous en remettre aux textes du passé pour tenter de reconstituer les grands moments d'une évolution linguistique qui, tant sur le plan des pratiques concrètes que sur celui du statut, ne saurait être dissociée de l'évolution littéraire.

Problématique

Un rapide survol de l'histoire de la littérature au Québec nous met en face de cette évidence qu'à toutes les époques, depuis la publication du premier ouvrage littéraire au Québec[21], des générations d'écrivains comme de critiques ont abordé la question du devenir littéraire en relation avec la situation nationale du français. Au Québec, la réflexion littéraire comme l'engagement littéraire ont été étroitement liés à des prises de position linguistiques, ce que démontrent éloquemment les travaux de Lise Gauvin, en particulier le dossier intitulé «Littérature et langue parlée au Québec» qu'elle a fait paraître en 1974 dans la revue *Études françaises*.

Bibliographie commentée des principaux écrits littéraires qui ont abordé d'une façon ou d'une autre la question tant controversée de l'oralité en littérature, ce dossier permet de mesurer l'importance d'un phénomène qui couvre un siècle d'histoire.

Dans une autre perspective, plus théorique, l'apport d'André Belleau est tout aussi capital. Il est sans doute le premier à avoir pressenti l'importance de la question linguistique dans la constitution même du champ littéraire québécois. Dans son essai *Le Romancier fictif*, il écrit:

> Le romancier québécois vivant la culture dans la distance comme le fait d'une autre classe, d'un autre pays, etc., éprouve de la difficulté à s'approprier le langage dans sa multiplicité et son étendue; et c'est cette position linguistique concrète — qui incite le lecteur à substituer à la persona, masque de mots qui n'est porté par personne, le masque *carnavalesque* derrière lequel il cherche tout normalement à deviner un parent ou un voisin. Ce n'est pas une question de connaissance de la langue comme d'aucuns l'affirment. Mais c'en est beaucoup une de rapport au langage. (1986, p. 42.)

Ce rapport particulier au langage, à l'œuvre dans les romans, se retrouve dans le discours d'accompagnement des œuvres. Il se manifeste dès le moment de la constitution d'une véritable critique littéraire au Québec, présent non seulement à la manière d'une préoccupation latente, mais d'une préoccupation essentiellement déterminante, infléchissant le cours même de l'histoire littéraire. On se rappellera que chez Crémazie — dans sa correspondance avec l'abbé Casgrain — l'existence d'une littérature nationale était indissociable d'une spécificité linguistique. De façon plus déclarée et plus décisive pour l'avenir des lettres françaises au Canada, Camille Roy, reprenant l'insoluble question de Crémazie, fondera son approche critique sur des stratégies de dissociation et de mise à distance qui aboutiront à légitimer des définitions de remplacement. La position de Roy, infiniment plus complexe qu'il n'y paraît — un chapitre lui est consacré — relève d'un rapport «torturé» à la langue littéraire, à l'esthétique. Pour Camille Roy et pour beaucoup d'autres, comme l'écrivait André Belleau — il vaut la peine de rappeler ces deux phrases sur lesquelles nous aurons l'occasion de revenir: «Ce n'est pas une question de connaissance de la langue comme d'aucuns l'affirment. Mais c'en est beaucoup une de rapport au langage.» (*ibid.*)

Ailleurs, dans l'un de ses plus percutants articles, «Code social et code littéraire dans le roman québécois», Belleau reprend sa réflexion sous forme d'hypothèse:

> Mais plus fondamentalement encore, il se pourrait que la situa-tion linguistique concrète de l'écrivain québécois — je renvoie ici à l'exercice et au statut même du langage dans sa société — nous oblige à poser le problème de la norme même de la langue littéraire non pas certes dans sa fonction linguistique corrective ici secondaire, mais à titre de condition institutionnelle indispen-sable pour que le langage d'une communauté culturelle puisse recevoir et porter les codes de la littérature. (1986, p. 176.)

Disciple de Bakhtine, André Belleau fut sensible au croisement des discours sociaux, qui traverse, depuis les origines, le texte litté-raire québécois. Ce croisement chargé d'ambiguïté, il le conceptualise dans les termes «institutionnels» de code et de norme. Selon lui, l'une des caractéristiques majeures de la littérature du Québécois est son être conflictuel:

> Ce qui frappe avant tout [...] c'est qu'au Québec, l'Appareil et la Norme n'ont pas nécessairement la même origine, la société n'ayant pu produire les deux. Dans plusieurs secteurs majeurs de la sphère littéraire, si l'Appareil est québécois, la Norme demeure française. Disons que notre institution littéraire est double ou plutôt que notre littérature se trouve sujette à une double imposition institutionnelle. Ceci n'est pas sans consé-quence. (p. 170.)

Belleau aura malheureusement manqué de temps pour achever l'œuvre théorique amorcée et donner ce «travail méthodique et complet» (p. 141) qui le sollicitait. Mais ses hypothèses et ses intui-tions demeurent. Elles ne sont d'ailleurs pas étrangères à l'élaboration de la problématique de ma recherche. Comme André Belleau, je crois que la situation linguistique du Québec fait partie des conditions concrètes de production littéraire et on ne peut que s'étonner qu'une question aussi fondamentale n'ait pas donné lieu jusqu'ici à plus de travaux.

La langue dont il s'agit

On a souvent tendance, en abordant le «matériau linguistique» impliqué dans le texte littéraire, à postuler une sorte de langue abstraite, constituée par la somme de tous les dictionnaires et de toutes les grammaires publiés à ce jour. La langue dont on parle alors échappe totalement aux déterminismes de l'histoire. Pourtant, comme l'écrit Mikhail Bakhtine, «les lois de l'évolution linguistique sont par essence des lois sociologiques» (1977, p. 141). La tendance générale de la critique vise à gommer la relation qui existe entre ce qu'on appelle le style d'un écrivain et les contours particuliers qu'emprunte la langue à une époque donnée. On oublie en somme que tout écrivain forge sa propre langue à même les ressources et les limites d'une langue vivante, concrète, qu'il contribue, par sa *pratique,* à nourrir mais qui le nourrit aussi; que son travail sur les mots, ces mots traversés par de multiples discours sociaux, demeure tributaire du sort que l'histoire a attribué à cette langue.

CHAPITRE II

Champ littéraire et champ linguistique: état des lieux

Vous devinez bien que je ne me propose pas de reproduire ici tous les jugements que l'on a prononcés sur notre langue. Il y en a trop. Il y a presque la matière d'un livre et je m'étonne que personne n'ait encore eu l'idée d'en battre monnaie.

VICTOR BARBEAU
Le Ramage de mon pays, 1939.

Le poète Albert Lozeau écrivait en 1907: «Je suis un ignorant, je ne sais pas ma langue[1]». Cinquante-sept ans plus tard, un autre poète québécois, Fernand Ouellette, décrit dans des termes analogues sa relation avec la langue:

Dès que j'ai essayé d'écrire, je me suis rendu compte que j'étais un *barbare,* c'est-à-dire selon l'acception étymologique, un *étranger.* Ma langue maternelle n'était pas le français mais le *franglais.* Il me fallait apprendre le français presque comme une langue étrangère[2].

À la fin des années cinquante et au début des années soixante, plusieurs écrivains québécois mettent en scène leurs propres expériences littéraires, revendiquent la pleine appartenance à une commune pauvreté intellectuelle, et interviennent sur la place publique pour dénoncer les conditions socio-politiques à l'origine du problème linguistique. L'exemple le plus connu de cet engagement à la fois littéraire, linguistique et politique demeure l'œuvre de Gaston Miron:

mais cette brunante dans la pensée
même quand je pense
c'est ainsi
par contiguïté, par conglomérat
par mottons de mots
en émergence du peuple
car je suis perdu en lui et avec lui

      seul lui dans sa reprise
      peut rendre ma parole
      intelligible et légitime[3]

Avant les années soixante, de façon générale, les écrivains québécois déplorent le mal-écrire et le mal-parler de leurs compatriotes sans voir ou sans déclarer les conséquences de la situation sur leur propre pratique. Le problème linguistique est signalé, mais il semble toujours être celui des autres. On en décrit les contours, les principales manifestations, d'un point de vue extérieur, celui du bon usage et de la correction. C'est pour cette raison sans doute que la préface de Lozeau est si étonnante et si émouvante. Le «je» de l'écrivain souffrant de et dans la pauvreté de sa langue est inhabituel pour l'époque, et il est tentant, par une sorte de lecture rétroactive, d'interpréter l'aveu que contient cette préface comme une sorte de préfiguration de la prise de conscience linguistique qui sera celle de la génération de Parti pris. Mais les propos d'Albert Lozeau, replacés dans leur contexte et dans la dynamique particulière du champ littéraire de son époque, obligent à plus de nuances.

L'aveu d'Albert Lozeau

Les propos de Lozeau contiennent une intention rhétorique certaine. À ce sujet, il n'est pas inutile de rappeler que le destinataire premier de cette préface est le public lecteur français, puisque c'est chez l'éditeur parisien F. R. de Rudeval que le jeune poète, grâce à l'appui bienveillant du critique Charles ab der Halden, publie son premier recueil en 1907.

La crainte de se voir reprocher l'incorrection de son style a pu inciter Lozeau à rédiger une sorte de mise en garde destinée à forcer la sympathie et l'indulgence de la critique française. Quelles que soient les intentions de l'auteur de *L'Âme solitaire,* ses «aveux» retiennent l'attention des chroniqueurs littéraires. Presque tous les comptes rendus en font état. Ses propos permettent, selon le commentaire émis dans l'un d'eux, de «juger sainement ses vers[4]». Tous s'arrêtent longuement sur les deux mêmes phrases: «Je suis un ignorant. Je ne sais pas ma langue.»

Pour Louis Arnould, qui a eu l'occasion de visiter le poète chez lui à Montréal, la préface révèle «un vrai modeste et même [...] un humble». Plus loin, le critique souligne que Lozeau «sait sa langue, [qu'] il la manie avec soin, avec amour» et précise que, «durant les longues heures de solitude du jour ou de la nuit, il corrige, il perfectionne», ce qui lui permet d'obtenir ce «verbe fin, approprié, *presque toujours correct* et *ordinairement clair*[5]».

Un autre critique, Auguste Dorchain, écrit qu'Albert Lozeau «sait sa langue, avec raffinement même, *ce qui est rare en un pays où elle ne se parle point avec une entière pureté* [6]».

On retrouve, sous la signature de Lucien Maury, un commentaire voisin du précédent mais où l'allusion à la langue des Canadiens français est plus explicite:

> Albert Lozeau sait sa langue, et il sait son métier de poète: sa science surprend agréablement; on ne rencontre en son volume *aucune de ces taches dont ceux de ses plus scrupuleux compatriotes ne sont jamais exempts*[7].

Dans ce même article, prenant prétexte de la parution des *Nouvelles Études* de Charles ab der Halden, Lucien Maury jette un regard sur l'ensemble de la production canadienne qui, selon lui, se définit «d'abord comme un instrument d'action au service d'une étroite orthodoxie nationale». Il reproche aux écrivains canadiens de trop chercher à imiter le «style» des écrivains français sans suivre pour autant les «grands combats d'idées» de la France. Il reprend l'opinion qu'avait lancée Virgile Rossel, en 1895, dans son *Histoire de la littérature française hors de France*[8], à savoir que «les théories [du Canada français] retardent d'un quart de siècle et parfois de cinquante ans» sur celles de la mère patrie: «Littérature de reflets et d'échos, littérature d'amateurs appliqués et timides; romans, poèmes de séminaristes et de clercs, inexpérimentés, prodigieusement impersonnels! Cette littérature est-elle viable[9]?» Ce qui retient davantage l'attention de Maury c'est «ce trait commun» auquel, selon lui, «se reconnaissent les œuvres canadiennes-françaises»: «la faiblesse de l'expression».

Toujours à propos de *L'Âme solitaire,* le quotidien londonien *Times*[10], dans un long article consacré à la «littérature franco-canadienne», s'intéresse, lui, à la suite des propos de Lozeau: «Je suis particulièrement abondant en faiblesses. C'est que je n'ai pas fait mon cours classique, que je ne sais pas le latin dont la connaissance est indispensable pour bien écrire le français[11].» Le chroniqueur du *Times*, dont le nom ne nous est malheureusement pas connu, enchaîne sur une remarque qui donne une assez juste idée de l'opinion que les Anglais d'outre-mer comme ceux de l'Amérique[12] avaient du français du Québec:

> Il se peut que cette négligence du latin dans les écoles franco-phones soit l'une des raisons pour lesquelles le français du Québec, parlé ou écrit, a souffert du contact avec une langue étrangère, quoique pas autant, à beaucoup près, que le français de la Nouvelle-Orléans. Quoi qu'il en soit, le français de M. Lozeau est *à peu près* sans défaut [...][13].

Dans les derniers paragraphes de l'article, l'auteur rappelle une remarque de Charles ab der Halden, cette fois à propos de l'œuvre d'Émile Nelligan, à savoir que «le plus grand résultat de sa tentative [pourrait avoir été] d'assouplir le vers français là-bas». Le chroniqueur du *Times* ajoute ce commentaire sarcastique: «Mais a-t-il simplement assoupli la langue des Canadiens — (opération pénible)?»

Des jugements linguistiques contradictoires

Que n'a-t-on pas écrit à propos du «parler canadien»! Qualifiée de «lousy french» ou de «french canadian patois», la langue française au Canada a été au centre de nombreuses controverses. Les opinions émises au sujet de sa qualité furent, selon l'avis d'Ernest Martin, ancien professeur à l'Université de Poitiers, «des plus diverses et les jugements émis, souvent contradictoires[14]».

Il est impossible de chercher ici à répertorier tous les jugements portés à l'étranger sur le français parlé et écrit au Québec. Tout parti-culièrement en France puisque, jusqu'à très récemment[15], celle-ci détenait, aux yeux des Québécois comme aux yeux des Français eux-mêmes, le monopole de la correction et de la légitimité en matière linguistique[16]. Ces textes sont trop nombreux. On souhaiterait par contre pouvoir établir un relevé systématique de tous les textes fran-çais qui, sous le couvert d'un compte rendu littéraire, s'adonnent à l'analyse de la situation linguistique de l'ancienne colonie. Un rapide survol des articles parus en France entre 1831 et 1914[17] et consacrés à la production littéraire du Québec nous permet de voir que, d'une part, les allusions aux particularités linguistiques du Québec sont pratique courante et que, d'autre part, la nature de ces allusions a considérablement varié au fil des ans. À la suite de cette revue de presse étrangère, nous verrons comment la perception que les Québécois eux-mêmes — perception construite en bonne partie par les jugements de l'étranger — avaient de leurs pratiques linguistiques a évolué au cours des XVIIIe et XIXe siècles.

Première œuvre, première querelle linguistique

En janvier 1830, paraît à Montréal un recueil de poésie intitulé *Épîtres, Satires, Chansons, Épigrammes et Autres Pièces de vers*[18]. Premier ouvrage littéraire publié en français au Québec par un Québécois, le recueil de Michel Bibaud est l'objet, dès sa parution, de nombreuses critiques. Au Québec d'abord, où les journaux reproduisent les reproches qui lui sont adressés, et en France où l'on ne manque pas de souligner l'événement.

En juin 1831, Isidore Lebrun[19] signe un compte rendu dans la *Revue encyclopédique* de Paris. Le critique français, usant d'un ton modéré relève quelques défauts, entre autres des incohérences de style. Bibaud réplique dans le premier numéro de son *Magasin du Bas-Canada*. Une controverse s'engage et, selon les termes mêmes de David Hayne, il s'agit là du «premier différend littéraire entre un Québécois et un Français». Michel Bibaud, ainsi que le fera Philippe Aubert de Gaspé fils quelques années plus tard dans la préface à son roman *L'Infuence d'un livre,* admet que son style manque de correction, que son art manque de précision, et invoque le fait qu'il écrit pour ses compatriotes et non pour les Français. L'attitude rappelle celle de Lozeau: elle revient à revendiquer pour soi et pour les siens le statut d'amateur tout en reconnaissant implicitement à l'autre, en l'occurrence au Français, une supériorité absolue en matière d'art.

La dispute entre Bibaud et Lebrun n'est pas sans préfigurer non plus la querelle qui opposera trois quarts de siècle plus tard le journaliste Jules Fournier au critique français Charles ab der Halden. En somme, les situations où un écrivain québécois se voit confronté à un critique ou à un public français révèlent le sentiment d'un manque individuel et laisse deviner un profond malaise linguistique, d'origine collective celui-là.

La pureté des «origines»

Les faits et les propos évoqués jusqu'ici pourraient laisser penser que le français au Canada a toujours été perçu de façon négative par les observateurs étrangers. Mais il n'en est rien. Au contraire — et les témoignages en ce sens sont légion — le français canadien a suscité pendant près d'un siècle — celui qui a précédé la défaite de la France en Amérique — l'admiration des voyageurs. La *Bibliographie linguistique du Canada français* constituée par James Geddes et Adjutor Rivard en 1906[20] en offre de nombreux et éloquents exemples.

Le premier ouvrage cité, celui du père Chrestien Le Clercq, rappelle les propos du père Germain Allard venu dans la colonie en août 1670 et décrivant le français de la Nouvelle-France comme «un langage plus poli [que dans d'autres provinces de France]», caractérisé par «une énonciation nette et pure, une prononciation sans accent» (p. 3). Le père Charlevoix acquiesce: «Nulle part ailleurs, on ne parle plus purement notre langue» (p. 4). On pourrait facilement multiplier les citations sans trouver une opinion discordante. À l'époque, les avis et les jugements sont unanimes: le français parlé dans la colonie ne diffère guère du français parlé dans la Métropole. C'est ce que soutient le linguiste Jacques Leclerc:

> La «langue du roi» devait être identique des deux côtés de l'océan: les nobles et les fonctionnaires de la colonie parlaient la même variété de français. Quant au peuple, une fois l'unité linguistique réalisée, il utilisait la même variété de français que les classes populaires de Paris. La variété parlée par les anciens Canadiens se caractérisait par une prononciation parisienne influencée toutefois par les origines dialectales des habitants, une syntaxe simple et apparentée à celle de Montaigne et de Marot, un vocabulaire légèrement archaïque, teinté de provincialisme de la Normandie et de la région du sud-ouest de la France. Bref, rien qui puisse vraiment distinguer le «francophone» de la Nouvelle-France de celui de la mère patrie. (1986, p. 434.)

«Un français pareil au nôtre», écrit Jean-Baptiste d'Aleyrac (p. 4), de retour d'un service militaire de cinq ans en Nouvelle-France, pendant les cinq dernières années du Régime français.

L'époque des jugements contradictoires

À la fin du XVIIIe siècle, le «parler canadien» ne fait plus l'objet d'une telle unanimité. On commence à le décrire comme un «patois», et à s'indigner de «the barbarian pronunciation of the Canadians». À l'origine de ce changement, un événement d'ordre politique.

La défaite de 1760, en plus de provoquer une rupture[21] dans les relations commerciales et culturelles entre le Québec et la France, a eu des conséquences considérables sur l'évolution du français au Québec. Privée de relations officielles et suivies avec la langue de la Métropole, privée sur place de stimulant intellectuel comme d'encadrement institutionnel, la langue des soixante mille colons n'a pu suivre l'évolution que connut le français en Europe, et est devenue plus vulnérable aux pressions qu'a exercées sur elle le voisinage de la langue anglaise.

Dans un ouvrage intitulé *Les Questions de langue au Québec, 1759-1850* (1990), Danièle Noël montre comment le fait d'avoir dû adopter des lois et des manières de faire britanniques, et forcément le vocabulaire qui les accompagnait, sans avoir à leur disposition les termes correspondants en français — soit parce que ces termes n'existaient pas ou que les locuteurs ne les connaissaient pas — a contribué à angliciser la langue des Québécois.

La défaite a eu une autre influence sur le développement linguistique du Québec, une influence extrêmement importante et dont on n'a pas assez mesuré les effets sur la constitution du champ littéraire québécois: elle a changé le statut du français en Amérique. De langue héritière de l'une des grandes cultures d'Occident, elle est devenue la langue de l'humiliation, du repli et du conservatisme. Comme l'affirme Jacques Leclerc, «la Conquête marque le début de la traversée du désert qui entame le processus de détérioration du statut de la langue française au Canada» (1986, p. 434).

Il n'a fallu à Alexis de Tocqueville, l'auteur de *De la démocratie en Amérique,* que quelques jours au Bas-Canada (du 24 août au 2 septembre 1831) pour évaluer, à partir des réalités linguistiques, la situation politique du pays.

> Les villes, et en particulier Montréal [...] ont une ressemblance frappante avec nos villes de province. Le fond de population et l'immense majorité est partout française. Mais il est facile de voir que les Français sont le peuple vaincu. Les classes riches appar-

tiennent pour la plupart à la race anglaise. Bien que le français soit la langue presque universellement parlée, la plupart des journaux, les affiches et jusqu'aux enseignes des marchands français sont en anglais. Les entreprises commerciales sont presque toutes en leurs mains. C'est véritablement la classe dirigeante au Canada[22].

En 1850, Théodore Pavie décrit le langage des «anciens colons français» comme «un vieux français peu élégant»: «leur prononciation [est] épaisse, dénuée d'accentuation [et] ressemble pas mal à celle des Bas-Normands. En causant avec eux, on s'aperçoit bien vite qu'ils ont été séparés de nous avant l'époque où tout le monde en France s'est mis à écrire et à discuter[23]».

D'autres observateurs continuent cependant à faire l'éloge de la langue du Québec. Dans ses *Lettres sur l'Amérique,* Xavier Marmier écrit que «le peuple lui-même parle assez correctement et n'a pas de patois» (p. 12). Pour Jean-Jacques Ampère, comme pour Rameau de Saint-Père, Arnauld Dudevant, «il faut aller au Canada, pour trouver vivantes dans la langue les traditions du grand siècle» (p. 12). Plusieurs écrivains canadiens, dont Sylva Clapin, reprendront l'idée:

> La vérité est que le Canadien des rives du Saint-Laurent n'a jamais parlé autre chose que la langue de Racine, sa seule et vraie langue maternelle... si l'on excepte quelques expressions du cru... empreintes d'un pittoresque châtoyant ou d'une délicieuse poésie[24].

Quelques années plus tard, Rémy de Gourmont dénonce vigoureusement ce lieu commun voulant que les Canadiens parlent et écrivent «la langue de Racine»:

> Paris est Paris et Québec est Québec. Il ne faut rien exagérer. Nous sommes de ceux qui aiment le Canada d'une façon plus clairvoyante. Faire croire aux Canadiens qu'ils parlent la langue de Racine, ce serait plutôt leur jouer un mauvais tour que de leur faire un compliment, tellement une pareille illusion doit sembler puérile à celui qui réfléchit.
> [...]
> Trois causes de déformation ont atteint la langue française au Canada: l'archaïsme, le provincialisme, l'infiltration anglaise. De ces trois maladies, la dernière est grave, sans doute inguérissable et assez inquiétante; les deux autres font le charme, la grâce, l'in-térêt, l'existence même du langage français canadien[25].

Rémi de Marmande, dans un survol de la production littéraire où il s'amuse à confronter quelques opinions contraires sur la langue parlée et écrite au Québec, use de moins de délicatesse: «Pourquoi cacher la vérité? La vérité est que la plupart des littérateurs canadiens écrivent mal et ne songent point à écrire mieux[26]».

La naissance d'une conscience linguistique

Si l'on en croit ce qu'écrit en 1903 le professeur Pierre de Labriolle, premier titulaire de la chaire de littérature française à l'Université Laval de Montréal et qui occupera la fonction de 1878 à 1901, l'élite québécoise de l'époque ne semble pas avoir un avis unanime sur la qualité de la langue française parlée au Québec: «Les uns — et ce sont les plus nombreux — se glorifient d'avoir conservé intacte la langue du XVIIe siècle [...] D'autres, au contraire, se montrent ironiques et méprisants à l'endroit de la langue que parlent leurs compatriotes[27].» Pourtant, à lire les journaux de l'époque, l'image inverse s'impose. En effet, dans une recherche sur les attitudes des Québécois à l'égard des questions linguistiques telles qu'elles s'expriment dans les grands journaux du temps, la linguiste Chantal Bouchard[28] montre qu'entre 1879, année où elle fait débuter son enquête, et 1910, la perception des Québécois est majoritairement négative. Les chroniqueurs ainsi que les lecteurs qui s'expriment dans des lettres ouvertes ne croient plus à cette idée que le «canayen» (ainsi qu'on appelait le langage paysan pour le ridiculiser) soit une réplique de la langue du Grand Siècle et ont, par une sorte d'intériorisation du jugement des autres, une opinion médiocre de leur langue.

Mais à quel moment les Québécois ont-ils commencé à se préoccuper des particularités de leur langue? Sûrement pas pendant le Régime français puisque, comme nous l'avons vu, le français de la colonie différait peu de celui de la Métropole. Il semble qu'il faille faire remonter les premiers balbutiements de la conscience linguistique des Québécois à la période 1774-1791, celle du Régime de l'Acte de Québec, celle aussi de l'expansion de la presse. Mais, selon Danièle Noël (1990, p. 146 à 151), la naissance du discours métalinguistique date du début du XIXe siècle, au moment où sont fondés les premiers journaux littéraires. Michel Bibaud signe, dans *L'Aurore*

(1817-1819) les premières chroniques de langue et Jacques Viger termine en 1810 sa *Néologie canadienne ou Dictionnaire des mots créés en Canada* [...].

Chose certaine, dans la seconde moitié du XIXe siècle, la question préoccupe les Québécois puisque, dès les années 1840 et de façon plus marquée à partir de 1860, on commence à publier des listes d'«expressions vicieuses» à corriger. En 1841, l'abbé Thomas Maguire fait paraître le *Manuel des difficultés de la langue française, adapté au jeune âge, et suivi d'un recueil de locutions vicieuses*. Bien qu'avant 1841 on relève d'autres textes axés sur la correction, ceux entre autres de Michel Bibaud, l'ouvrage de l'abbé Maguire est le premier conçu sous la forme d'un manuel. Comme on le sait, son exemple sera beaucoup suivi.

Les publications sur la langue constituent, à elles seules, un corpus autonome. On n'a qu'à consulter la *Bibliographie linguistique du Canada français* pour s'en convaincre: de l'époque de la Nouvelle-France à la Révolution tranquille, près de mille titres[29] sont entièrement consacrés à l'étude ou à la défense et à l'illustration de la langue française au Canada. De 1895 à 1914, période que couvre notre recherche, trois cent soixante et onze textes ont été recensés[30]. Si l'on considère le volume total d'œuvres publiées au Québec, à l'époque, ces chiffres sont considérables. Entre la fondation de l'École littéraire de Montréal et la parution en feuilleton du roman *Maria Chapdelaine,* près de sept cent cinquante ouvrages[31] regroupant les quatre grands genres traditionnels ont été publiés. La préoccupation linguistique est évidente: *près de la moitié des écrits publiés entre 1895 et 1915 ont la langue pour propos.*

La lecture de ces statistiques fait apparaître un constat capital dans la perspective de notre problématique: les grandes vagues de publications «linguistiques» coïncident avec les grandes vagues de publications littéraires. Il faut voir aussi que jusqu'aux environs de la Première Guerre mondiale, les auteurs d'écrits à caractère linguistique étaient très souvent critiques littéraires, ou encore écrivains. Dans le texte d'introduction à la *Bibliographie linguistique du Canada français,* Gaston Dulong périodise ainsi l'évolution des travaux linguistiques: «La première [période] va du début à 1880, la seconde de 1880 à 1902, la troisième de 1902 à 1945, la quatrième de 1945 à 1966[32].» Dans les deux décennies qui précèdent 1880, on assiste au début des travaux et des études sur la langue. L'approche est principalement défensive. On tente de contrecarrer les attaques portées par les Anglo-Saxons contre le «parler canadien». Depuis l'échec des insurrections de 1837-1838 et la publication du rapport Durham, ces attaques pleuvent littéralement. Cette attitude des Anglo-Saxons à l'égard du «parler canadien» aura longue vie. En 1903, Pierre de Labriolle fait l'observation suivante: «Cette mauvaise opinion, les Anglais établis au Canada et les habitants des États-Unis se l'approprient généralement. Ils ne dissimulent pas qu'à leurs yeux le *Canadian French* est une langue et que le *real French as spoken in France* en est une autre.»

Guy Bouthillier et Jean Meynaud citent un autre texte, d'Emmanuel Blain de Saint-Aubin celui-là, qui démontre le peu d'estime dans lequel les Anglo-Saxons tenaient le français du Québec dans la deuxième moitié du XIXe siècle:

> En 1862, j'eus l'honneur d'être demandé par Lady Monck pour donner des leçons de français à ses enfants. Je me rappellerai toujours la première conversation que j'eus avec cette dame.
> «Monsieur, me dit-elle, vous êtes Français?
> — Oui, madame.
> — Vous parlez, je suppose, le français de Paris, (Parisian French) je tiens à vous faire cette question, car on me dit que les Canadiens Français parlent un *patois* abominable[33].»

Il faut remarquer que c'est précisément autour de ces années que naît le premier mouvement littéraire au Québec. Avant 1860, les activités littéraires demeurent isolées et, si l'on en croit ce qu'écrit Joseph Doutre dans la préface des *Fiancés de 1812,* «les intellectuels qui fréquentent les auteurs français ignorent les productions autochtones[34]». Grâce aux efforts d'Henri-Raymond Casgrain et à la réunion d'un ensemble de conditions favorables[35], le champ littéraire québécois acquiert dans les années 1860 des contours plus nets[36]. Au nombre des grands changements sociaux qui favorisent cet affermissement du champ, il faut compter une industrialisation et une urbanisation de plus en plus marquées ainsi que l'avènement de l'alphabétisation de la masse des Québécois. Les travaux d'Allan Greer montrent qu'à partir de 1850 le Québec devient une société majoritairement alphabétisée[37].

Une série de mesures concrètes, comme la fondation de la Société Royale du Canada, la création de la *Revue canadienne* et la distribution de livres d'auteurs québécois en prix de fin d'année scolaire[38] ont pour effet de provoquer la réunion des forces en présence et de stimuler la circulation des échanges à l'intérieur du champ. Ce train de mesures incitatives soutenues par un fort encadrement d'ordre essentiellement discursif constitue aussi, à n'en pas douter, une réponse à la situation problématique dans laquelle se trouve le français au Québec. Le souvenir de l'Acte d'Union et de l'article 41 qui, de 1840 à 1848, a banni l'usage du français et consacré l'anglais seule langue officielle, est encore vivant. L'avenir du français en Amérique du Nord paraît incertain. Aussi, vouloir édifier une littérature nationale dans un tel contexte linguistique équivaut, surtout après l'échec des Patriotes et la déroute des libéraux, à déplacer les espoirs du politique vers le symbolique. S'inspirant du courant romantique, la littérature va désormais constituer le lieu du rêve de la nation, la quête d'un statut et d'un prestige refusés à sa langue. C'est à la systématisation de cette nouvelle stratégie que seront consacrées les années subséquentes.

1880: le grand tournant

Aux yeux de plusieurs observateurs de l'histoire sociale du Québec, l'année 1880 marque un véritable tournant. Dans la *Bibliographie linguistique du Canada français,* Gaston Dulong la propose comme année charnière: «La seconde période, qui s'étend de 1880 à 1902 [...] est plus importante: elle voit naître les premiers travaux systématiques, voire scientifiques sur le français parlé au Québec[39].» Guy Bouthillier et Jean Meynaud écrivent que «l'année 1880 est marquée, sur le plan de la défense de la langue française, par plusieurs événements importants» (1972, p. 206).

Pour cette seule année, la *Bibliographie linguistique du Canada français* compte vingt-trois entrées alors que la moyenne pour les années antérieures se situe autour de quatre ou cinq. La publication la plus importante demeure celle d'Oscar Dunn: *Glossaire franco-canadien et Vocabulaire des locutions vicieuses usitées au Canada.* L'ouvrage paraît avec une introduction du poète Louis Fréchette. Signalons aussi *L'Anglicisme, voilà l'ennemi!* de Jules-Paul Tardivel, qui fit couler beaucoup d'encre. La sortie de Tardivel contre la langue «littéraire» de ses compatriotes (discours politiques, plaidoiries d'avocats, articles de journaux) n'eut pas l'heur de plaire à A. Gélinas qui soutint que «les Canadiens français ignorent ce que c'est que le patois et le jargon et qu'ils ont conservé intacte la langue du dix-septième siècle».

Dans un autre domaine, celui des relations avec la France, l'année 1880 représente aussi un seuil. Selon les auteurs, l'année marque une amorce, une reprise ou alors carrément une rupture. Pour David M. Hayne, «c'est entre 1880 et 1900 que la France a commencé à connaître le Canada dans tous les domaines, y compris celui de la vie intellectuelle» (1982, p. 96). Dans un récent article, Pierre Hébert, à propos de ces deux mêmes décennies, parle de «seconde réception des lettres canadiennes-françaises» en France et de «transformation de l'horizon d'attente» (1986, p. 283).

Dans l'histoire de la littérature québécoise, l'année 1880 est associée à la consécration par la France de son poète national. Pour la première fois, l'Académie française décerne l'un de ses prix à un écrivain étranger. Le 5 août 1880, Louis Fréchette reçoit, à Paris, l'un des prix Montyon de l'Académie française. L'attribution de ce prix est, on le conçoit aisément, tout un événement.

Selon David M. Hayne[40], l'interprétation exclusivement littéraire que l'on donne généralement à ce prix doit être nuancée. L'hommage à Fréchette serait beaucoup plus un hommage rendu à la fidélité envers la France et envers la langue française qu'une véritable reconnaissance littéraire. Dans le sixième chapitre de son *Histoire de la littérature canadienne-française* consacré aux relations littéraires de la France et du Québec, Gérard Tougas avait déjà évoqué, mais d'une façon plus générale, ce phénomène: «Il est vrai que les récipiendaires de ces honneurs, et avec eux de nombreux Canadiens, n'ont pas toujours distingué l'hommage rendu en pareilles occasions à la littérature d'avec celui, plus souvent décisif, rendu à la fidélité envers la France.» L'intention de l'Académie s'inscrit d'ailleurs tout à fait dans la logique socio-politique de l'époque. La perte de l'Alsace en 1871 provoque en France l'apparition d'un nouveau discours patriotique et suscite dans l'opinion publique une très grande curiosité pour les colonies, ces «petites Frances» de l'étranger.

Le cas Fréchette

Considéré comme le «poète national» du Québec après la mort d'Octave Crémazie, Louis Fréchette constitue un bon exemple des positions de plusieurs écrivains de la fin du XIXe siècle sur la question

linguistique. Un extrait de sa correspondance avec Paul Blanchemain[41] est éclairant à cet égard:

> Vous me conseillez d'y [ses poésies] mettre un peu de senteur du
> terroir. Mon Dieu, il me faudrait être de France pour savoir
> même ce que cela veut dire. J'essaie d'écrire autant que possible
> comme les Français, voilà tout. Écrire comme nous parlons ici
> serait incorrect et fade; ça n'aurait pas du tout l'arôme des livres
> campagnards de George Sand. Je sais bien qu'on aimerait à
> trouver chez moi un peu du Sauvage; mais je ne le suis pas du
> tout. Nous ne le sommes pas du tout. Le Canada est comme une
> île de la Manche; grandeur nature, mais pas du tout couleur
> locale[42].

Dans la lettre suivante, datée du 6 décembre 1883, Fréchette
fait remarquer: «En relisant votre dernière lettre, j'ai mieux compris
ce que vous me disiez ou plutôt me conseilliez au sujet de la
couleur locale. Vous parliez plutôt des sujets à traiter que du style.
Je comprends cela, vous approuve et suivrai votre conseil à la
lettre.»

On voit que, pour Fréchette, seule la France peut définir la norme
en matière linguistique et littéraire. Il faut rappeler ici le commentaire
de Gérard Tougas qui disait que, «pour comprendre l'évolution des
sentiments des Canadiens français envers la France, il est instructif de
rappeler que Louis Fréchette comme tant d'autres écrivains au XIXe
siècle se considéraient comme des *Français d'Amérique*[43]».

Si, en tant qu'écrivains, ils se considèrent comme français ou tout
au moins aspirent à se faire connaître et reconnaître par le champ littéraire français, seul détenteur à leurs yeux de la légitimité littéraire, leur
patrie sociale demeure, elle, à la fois de France et d'Amérique. Une
Amérique française et catholique, il va sans dire. Mais, avec les
années 1880, au moment où, sous l'impulsion de Jules Ferry, la
France républicaine s'engage dans la laïcisation de l'enseignement
public, la majorité des intellectuels québécois sentiront cette France,
non plus comme une patrie, non plus comme une alliée, mais bien
comme une étrangère et une ennemie.

Le choix d'une France marginale

L'historien québécois Pierre Savard a analysé cette question des relations intellectuelles entre les deux peuples. Son ouvrage sur le *Consulat général de France à Québec et à Montréal de 1859 à 1914* offre une vision neuve de la période:

> Jusqu'à 1880, Canadiens et Français se reconnaissent les uns dans les autres; après 1880, la politique laïque et radicale de la république effraie les Canadiens français: aussi se tournent-ils vers ceux qui, en minorité et bien en dehors des circuits officiels, représentent encore pour eux la vraie France: un de Mun, un Eugène Veuillot, par exemple, et tous les religieux qui célèbrent à l'envi la France de Jeanne d'Arc quand ce n'est pas celle des Bourbons. Il reste bien au Canada français un carré de francophiles impavides formé des Beaugrand, des Fréchette, des Dandurand et des Desaulniers, mais ces Canadiens sont montrés du doigt comme des thuriféraires sinon des complices, des impies. (1970, p. 129.)

Les conséquences de ce tournant dans les relations intellectuelles entre les deux pays sont capitales: elles déterminent l'évolution subséquente du champ littéraire québécois. À cela il faut ajouter que, dans les années 1880, sévit au Canada une crise économique qui rend encore plus précaire l'existence des Québécois. Dans un avis aux lecteurs, la direction de la *Revue canadienne* fait allusion aux conséquences littéraires de la crise économique: «Il fallait montrer ce que nous sommes et ce que nous pouvons faire en littérature comme en politique. Et tous les anciens organes de nos lettres étaient tombés, victimes de la crise.» («Au public», *Revue canadienne*, 1881, p. 10.)

Ce vent de conservatisme qui souffle au Québec dès le début des années 1880, au moment où curieusement s'intensifient les relations entre les deux littératures — grâce la plupart du temps à des initiatives privées, à des relations personnelles — souffle avec plus de force et d'évidence dans les premières années du XXe siècle. Si les consuls français, venus en mission au Québec, ont pu remarquer un changement dans l'opinion à partir de 1880, les effets réels et concrets n'en paraissent cependant qu'une ou deux décennies plus tard: le temps que de nouveaux interlocuteurs et de nouvelles instances soient mis en place.

Avant de clore cette revue des année 1880, il faut souligner que dès 1885, des chercheurs américains commencent à publier des études générales sur le français du Canada. Qu'il suffise de citer les noms des linguistes Elliot, Sheldon, Squair, Chamberlain; Geddes, pour sa part, après avoir ramassé des observations en Gaspésie et dans la baie des Chaleurs, rédige une thèse de doctorat soutenue à Harvard et publiée en 1908:

> Elliot, Sheldon, Squair, Chamberlain et Geddes étaient au courant des nouvelles méthodes de recherche en dialectologie romane: ils allaient sur le terrain, notaient phonétiquement ce qu'ils entendaient, comparaient les résultats de leurs récoltes avec des relevés faits ailleurs. [...]
>
> Ces études sérieuses faites par des étrangers ne semblent pas avoir été connues des Canadiens et n'ont eu, par conséquent, aucune influence sur les études du français canadien publiées au Canada même. On s'ignorait de part et d'autre[44].

La chose paraît étonnante mais, lorsqu'on songe au peu de prestige dont jouissait le français au Québec à cette époque, il est fort possible que les Québécois, repliés sur eux-mêmes, attendant des appuis du côté de la France et non du côté de l'Amérique anglophone, aient été inattentifs à l'existence de ces travaux. Le jeu des frontières «morales» que le clergé québécois érige, à partir des années 1840, entre le Québec et les États-Unis — pays protestant marqué de surcroît par une guerre d'indépendance — n'est sans doute pas étranger à cette ignorance. De toute façon, demeure la question de savoir ce qui a pu inciter tant de linguistes américains de l'époque à choisir le français du Canada comme objet d'étude. Il serait intéressant d'étudier les textes d'introduction et de présentation de ces ouvrages pour déceler les intentions des auteurs-linguistes et relever les marques axiologiques qui s'y font jour.

Le règne de la Société du parler français au Canada

Au Québec, les grands travaux sur la langue débutent réellement avec la fondation de la Société du parler français au Canada. L'année

1902 marque le début d'une nouvelle période dans l'histoire de la langue française au Québec, une période qui, selon Gaston Dulong, s'étend jusqu'en 1945:

> La période, qui va de 1902 à 1945, est dominée par les travaux de la société du Parler français au Canada, fondée à Québec, sous les auspices de l'université Laval, par un jeune et brillant avocat, Adjutor Rivard, et par l'abbé Stanislas Lortie, généalogiste, du Séminaire de Québec.
>
> Soutenue par l'élite québécoise — évêques, chanoines, prêtres, juges, avocats, notaires, hommes d'affaires, professeurs à l'université Laval — et soulevée par un élan d'enthousiasme patriotique, l'équipe qui dirige la société se lance dans une grande aventure: elle se donne pour objet l'étude et le perfectionnement du parler français au Canada. (1966, p. XXII.)

Dès sa fondation, la Société crée le *Bulletin du parler français au Canada,* revue qui paraîtra sous ce nom jusqu'en 1918. Charles ab der Halden, en 1906, avait déjà pressenti l'ampleur qu'allait prendre la Société du parler français:

> Bénissez le ciel, Monsieur [Jules Fournier], que la critique n'existe point dans votre fortuné pays. Mais profitez de l'heure, car les symptômes annoncent que cet heureux temps va finir. Ne nous dissimulons pas que la *Société du Parler français* n'est pas seulement un cercle d'études philologiques, mais que la critique y sera fatalement à l'honneur[45].

La Société est aussi à l'origine d'un vaste congrès, tenu à Québec, sur la langue française au Canada. Dans l'«Appel au public», daté du 10 avril 1911, le comité organisateur présidé par Monseigneur Paul-Eugène Roy, frère de l'abbé Camille Roy, précise les buts poursuivis:

> Le Congrès est convoqué pour l'étude, la défense de la langue et des lettres françaises au Canada [...].
>
> Que notre langue s'épure, se corrige et soit toujours saine et de bon aloi; que notre parler national se développe suivant les exigences des conditions nouvelles et les besoins particuliers du pays où nous vivons; qu'il évolue naturellement, suivant les lois qui lui sont propres, sans jamais rien admettre qui soit étranger à son génie premier, sans jamais cesser d'être français dans les

mots, dans les formes et dans les tours, mais aussi sans laisser, par quelque côté, de sentir bon le terroir canadien; qu'il s'étende et qu'il revendique ce qui lui appartient, mais sans heurter les ambitions légitimes, et dans le libre exercice de ses droits; et que notre littérature se développe et se *nationalise,* mais dans le respect des traditions françaises, — tels sont les vœux légitimes de tous les nôtres, tel est aussi l'idéal très élevé pour lequel l'on travaille et l'on peine[46].

Au départ, en 1902, la «nationalisation» de la littérature canadienne-française ne fait pas partie des objectifs de la Société. Ses premiers efforts visent à créer une structure et à formuler un programme d'action entièrement consacré aux questions d'ordre linguistique. La fondation de la Société, ne l'oublions pas, répond à l'inquiétude qu'avaient suscitée chez tous les francophones du Canada certains événements récents:

> En plus d'être menacée dans sa survie en Ontario et au Manitoba, la langue française, au début du siècle était loin d'avoir au Québec même, droit de cité dans tous les secteurs de vie. Elle était absente notamment du commerce et de l'industrie, alors en pleine expansion. Aussi certains décidèrent-ils de réagir contre cette situation en organisant un mouvement de défense et de promotion du français[47].

Mais peu à peu, avec l'arrivée de certains membres influents comme Camille Roy et le fait que la majorité des membres de la Société, sans être des écrivains, sont des auteurs, la Société étend son action de la langue à la littérature. Cela va d'ailleurs de soi. On verra, dans la suite de ce travail, que cette alliance connaît une fortune telle qu'elle dominera le champ littéraire pendant trente ans. Il est intéressant de connaître l'opinion du linguiste Gaston Dulong sur la Société du parler français. Après avoir montré que la grande œuvre de la Société, le *Glossaire du Parler français au Canada,* un volume de sept cent soixante pages paru en 1930, mais mis en chantier dès 1902, malgré tout l'intérêt qu'il présente, manque d'appuis méthodologiques sérieux, Gaston Dulong écrit ceci:

> Je soupçonne aussi les membres de la Société d'avoir surtout été obsédés par la volonté de défendre le français canadien, sérieusement menacé par l'anglais, et par la volonté de *revaloriser le*

parler populaire à leurs propres yeux et aux yeux de leurs contemporains: ils voulaient simplement retrouver les lettres de noblesse de tous les archaïsmes et de tous les vieux mots dialectaux ou patois qui ne figurent pas dans les dictionnaires du français commun. Les détails et la précision scientifique n'étaient pas leur but suprême[48].

C'est sur cette toile de fond linguistique et littéraire que Charles ab der Halden commence à s'intéresser aux auteurs canadiens. Guidé par l'abbé Henri-Raymond Casgrain dont il louera plus tard la grande ouverture d'esprit, Charles ab der Halden voit peu à peu s'éclairer différemment la scène des lettres canadiennes. Soit que son jugement premier ait été trop influencé par l'enthousiasme de l'abbé Casgrain, par celui d'Hector Fabre ou par les élans romantiques de son correspondant privilégié Louis Fréchette; soit encore que se déplaçant lui-même dans l'espace du champ littéraire français, occupant une autre position, il ait développé progressivement un autre point de vue sur l'avenir des lettres québécoises, toujours est-il qu'entre 1899 et 1909 ses idées sur la valeur et sur l'avenir de cette jeune littérature connaissent une nette transformation. De façon certaine, sa polémique avec Jules Fournier marque son rapport à la littérature du Québec comme elle marque — par ce qu'elle contribue à dévoiler de l'impact de la situation linguistique sur la formation du champ littéraire — l'histoire même de cette littérature.

CHAPITRE III

Jules Fournier et Charles ab der Halden: une querelle exemplaire

Au cœur du polémique, il y a l'être touché par le manque.

DOMINIQUE GARAND
La griffe du polémique, 1989.

La querelle du «joual» des années soixante obligera, on le sait, le milieu intellectuel québécois à repenser les rapports du champ littéraire au champ linguistique et au champ du pouvoir. Si cette querelle peut être considérée à juste titre comme l'aboutissement d'une longue réflexion collective sur l'usage littéraire de la langue parlée, plus justement sur la compatibilité du «parler canadien» avec la valeur littéraire au sens où Claude Lafarge (1983) la définit, et assurément comme un coup de force symbolique venant modifier en profondeur la morphologie de l'espace littéraire, c'est qu'elle s'est trouvée à réactiver — selon une figure inversée qui rappelle celle du chiasme — des querelles plus anciennes auxquelles les conditions historiques de l'époque n'avaient pas permis de trouver une réponse satisfaisante. Au nombre de ces querelles «latentes», il faut compter la polémique qui, au début du siècle, opposa Jules Fournier et Charles ab der Halden. Cette polémique n'a pas eu pour effet d'ébranler une institution, trop fragile encore pour l'être, mais elle a permis de mettre au jour la série de non-dits à la fois linguistiques et littéraires sur lesquels l'institution naissante cherchait à se constituer. En ce sens la polémique de Fournier / ab der Halden est bien, selon l'expression de Dominique Garand (1989), «une ponctuation de la situation».

Moins visibles et moins violents que ceux de la querelle du «joual», les effets de la polémique Fournier / ab der Halden n'en sont pas moins déterminants, car, même si la position prise par le journaliste québécois n'était pas inédite, le contexte nouveau dans lequel elle venait s'inscrire lui procurait un fort caractère d'interdit et de scandale qu'elle conserve encore aujourd'hui. Pour cette raison peut-être, la fortune des questions qu'elle a soulevées fut importante au point de se constituer en centre obsessionnel. Dans les premières années de la

Révolution tranquille, ne voyait-on pas encore les suppléments littéraires annuels du *Devoir* proposer comme thème de réflexion: «Avons-nous une littérature?»

Évoquée dans tous les manuels d'histoire littéraire du Québec, le plus souvent comme une simple boutade de journaliste, la célèbre et irrévérencieuse affirmation de Jules Fournier étonne toujours: «Il n'y a pas de littérature canadienne-française. La chose ne se discute pas[1].» Trop rapidement réduit à quelques aphorismes choc tel celui-ci, le plus largement cité sans doute: «une dizaine de bons ouvrages de troisième ordre ne font pas plus une littérature qu'une hirondelle ne fait le printemps[2]», le contenu de l'échange épistolaire mérite un examen plus serré, ne serait-ce que par l'écho qu'il vient donner aux propos tenus cinquante ans plus tôt, le 10 avril 1866 précisément, par le poète Octave Crémazie à l'abbé Casgrain: «Dans les œuvres que vous appréciez, vous saluez l'aurore d'une littérature nationale, mais si un oiseau ne fait pas le printemps, deux livres ne constituent pas une littérature[3].» Curieusement, la reprise se trouve à signaler la présence d'une «autoréférentialité» dans le discours littéraire de l'époque.

«Comme préface»: un texte-manifeste

On considère généralement que le coup d'envoi de la querelle fut donné par Jules Fournier, en juillet 1906. Il faut pourtant préciser que le texte de Fournier intitulé «Comme Préface» ne contient aucune allusion directe ni indirecte à l'auteur des *Études de littérature canadienne française*. L'interpellation viendra plus tard et d'ailleurs. Pour le moment, Fournier semble plus préoccupé de la défense de ses droits que de l'intitulé du livre de Charles ab der Halden.

Rappelons brièvement les faits. À la fin de 1904, Fournier rédige hâtivement un roman, *Le Crime de Lachine,* qu'il désire publier en feuilleton, œuvre volontairement anonyme pour laquelle Fournier compose une préface explicative. Malheureusement, le journal éditeur livre le roman sans sa préface[4]. Pour comble de malheur, un autre quotidien, *La Presse*, reprend le feuilleton une dizaine de jours plus tard en changeant les noms des personnages et le titre de l'ouvrage. *Le Crime de Lachine* est devenu *Le Roman d'un garçon d'habitant.* Fâché de la tournure des événements, le journaliste-écrivain fait parvenir à la *Revue canadienne* le texte qui aurait normalement dû accompagner la publication de son «roman populaire», ainsi que le qualifie Fournier.

Pour mieux rétablir la vérité, il joint un post-scriptum à sa «préface», post-scriptum qu'il signe:

> Et comme ces pages dépourvues de toute valeur littéraire, ont tout de même une certaine valeur commerciale, je me crois en devoir de protéger ma propriété en y inscrivant mon nom, non pas comme signature, mais comme *noli tangere,* comme étiquette[5].

Le texte est publié en juillet 1906, donc très rapidement après que Fournier l'eut soumis à la direction de la *Revue canadienne* puisque le «P.S.» est daté du mois précédent. La dédicace se lit comme suit: «À son Altesse Sérénissime la Critique; à ses amis; à ses ennemis.» De toute évidence, Fournier ne s'adresse pas à la critique de France mais bien à celle de son pays. En maints endroits, il précise son intention de parler de choses littéraires canadiennes au «public canadien».

On peut bien sûr se demander pour quelles raisons, sinon celle de s'adresser directement à ceux que sa violente sortie visait, il a choisi, pour publier son texte-manifeste, la *Revue canadienne,* «ce caveau funéraire et orthodoxe», ainsi que la qualifie son ami Olivar Asselin dans sa préface à L'*Anthologie des poètes canadiens* de Fournier.

Trois mois plus tard, en octobre, dans la même revue, la *Revue canadienne,* Charles ab der Halden, critique français très actif et très connu à l'époque, répond à Jules Fournier et engage avec le jeune journaliste montréalais un vif échange de vues sur l'état de la langue et sur l'avenir de la littérature au Québec. Avant d'entendre les arguments de l'un et de l'autre, présentons rapidement les deux protagonistes.

Portrait des deux polémistes

Né en 1884 à Côteau-du-Lac, petite paroisse agricole du comté de Soulanges, d'une famille de cultivateurs très modestes, Jules Fournier représente avec Olivar Asselin l'une des grandes figures du journalisme québécois. Il est l'auteur de *Souvenirs de prison* (1910), bref récit inspiré par le séjour en prison que lui valut la publication d'un violent article contre le premier ministre du Québec, Lomer Gouin, et de deux ouvrages qui ne seront publiés qu'après sa mort. Le premier est L'*Anthologie des poètes canadiens* (1920), le second, un recueil de ses meilleurs écrits journalistiques réunis sous le titre de *Mon encrier* (1922). Sans prétendre retracer l'ensemble de la trajectoire du journaliste-écrivain, il paraît nécessaire de rappeler quelques faits[6] qui ont contribué à structurer sa vocation intellectuelle.

Rien au départ ne semble prédisposer Jules Fournier à faire carrière dans les lettres. Aussi est-ce par une série d'accidents que ce fils d'un cultivateur non fortuné, sans attirance pour la vie religieuse, peut avoir accès aux études secondaires classiques d'abord, et au journalisme littéraire par la suite. Le premier de ces accidents est une rencontre, celle de Michel Weber, instituteur d'origine lorraine, qui à l'école du village remarque l'intelligence du jeune garçon et recommande son entrée au collège. La famille ne pouvant supporter le coût de telles études, une souscription populaire — sans doute organisée par le curé de la paroisse comme cela s'est longtemps pratiqué au Québec — permet à Fournier d'entrer au séminaire de Valleyfield. Il aura comme professeur l'abbé Lionel Groulx, un ardent défenseur du nationalisme québécois. En 1899, alors qu'il est âgé de quinze ans, il fait paraître ses premiers textes dans *Le Monde illustré* de Montréal et engage une correspondance avec le grand chroniqueur français Jules Lemaître qui l'encourage dans ses premières tentatives littéraires.

Invité par les autorités du séminaire à quitter le collège, il interrompt ses études en décembre 1902. Quelques mois plus tard, il débute sa carrière de journaliste comme reporter au journal *La Presse*. L'année suivante, il passe au *Canada* où il occupe successivement les fonctions de courriériste parlementaire et de chroniqueur politique. Par la suite, il est rédacteur en chef du *Nationaliste,* de 1908 à 1910, rédacteur au *Devoir* de janvier à mars 1910, et à *La Patrie* de mars 1910 à février 1911. Il fonde un hebdomadaire, *L'Action,* qu'il dirige de 1911 à 1916, année au cours de laquelle il devient traducteur au Sénat. Deux ans plus tard, il meurt.

Au moment de sa querelle avec Charles ab der Halden, Jules Fournier a vingt-deux ans. Il est à l'emploi du *Canada* et, sous le pseudonyme de Pierre Beaudry, collabore au *Nationaliste,* journal progressiste fondé par son ami Olivar Asselin. L'année précédente, en 1905, il a signé une série de reportages sur la situation des Franco-Américains qui a fait beaucoup de bruit. Le nom du journaliste commence à circuler dans les milieux intellectuels. Fournier se trouve donc dans la position de l'aspirant, du jeune loup prometteur, alors que son adversaire se trouve, lui, au sommet de sa notoriété au Québec.

Très curieusement et très injustement oublié aujourd'hui, Charles ab der Halden a joué un rôle capital dans la diffusion de la littérature québécoise en France, mais aussi dans la construction d'un regard réflexif sur cette jeune littérature. En 1904, le critique a publié un volumineux ouvrage intitulé *Études de littérature canadienne française* qui a mérité le prix Bordin de l'Académie française et qui constitue le premier ouvrage étranger à être entièrement consacré à la production littéraire du Québec. Il est d'ailleurs à la toute veille de donner une suite à ce premier recueil d'articles, puisque les *Nouvelles Études de littérature canadienne française* paraîtront au cours de l'été 1907, quelques mois seulement après la fin de la polémique. Mais qui était ce Charles ab der Halden dont les manuels d'histoire littéraire n'ont retenu que le nom et le rôle de faire-valoir qu'il a joué dans la polémique avec Fournier?

Né à Roubaix en France, le 18 juin 1873, Charles ab der Halden[7] est le fils aîné d'une famille d'industriels alsaciens. Ses parents furent de ces 150 000 Lorrains-Alsaciens qui, à la suite du traité de Francfort en 1871, ont fui la domination allemande et sont allés se réinstaller en territoire français. La profession du père, directeur de filature, lui permit de quitter Mulhouse pour Roubaix.

Le décès prématuré du père, en 1876, plonge la famille dans des difficultés financières. Après quelques mois de séparation, madame ab der Halden se réinstalle à Paris avec ses quatre enfants. Charles y poursuit des études supérieures tout en donnant des cours. Très tôt, il s'intéresse à la littérature et écrit des poèmes qui seront publiés en 1899 chez l'éditeur Alphonse Lemerre. Dès 1897, enthousiasmé par la poésie de Louis Fréchette, il se met à l'étude des œuvres et de l'histoire du Québec. Il rencontre, à Paris, l'abbé Henri-Raymond Casgrain qui l'encourage à poursuivre son travail et qui lui ouvre plusieurs portes. Durant dix ans, il collabore activement à des journaux et à des revues, tant en France qu'au Québec, il prononce des conférences et participe à des événements destinés à présenter à la France la production littéraire de son ancienne colonie. Soudainement, en 1909, il quitte la France pour l'Algérie et interrompt brusquement et radicalement ses activités littéraires et ses relations avec le Québec.

Chapitre clos: Charles ab der Halden ne s'occupera plus dès lors que de sa carrière dans l'enseignement public et de la rédaction d'ouvrages et de manuels scolaires. Il revient en France en 1920 et, sans jamais avoir repris officiellement contact avec la littérature du Québec, il mourra à Sceaux, en banlieue de Paris, en 1962. Ce retrait du champ littéraire québécois s'explique de bien des façons. D'un point de vue économique, les activités journalistiques et éditoriales d'ab der Halden n'étaient guère rentables. D'autre part, les nouvelles réalités du milieu littéraire québécois qui ne sont pas étrangères au déclenchement de la querelle Fournier / ab der Halden (disparition des grands aînés comme Casgrain et Fréchette, arrivée de Camille Roy, montée du régionalisme et triomphe d'une idéologie ultra-conservatrice, etc.) font fortement sentir au critique français sa condition d'étranger. Mais on peut se demander si ce n'est pas à l'occasion de sa polémique avec Fournier que Charles ab der Halden a pris conscience de cette distance qui le séparait de plus en plus, littérairement et politiquement, du Québec.

Le «billet» déclencheur

La première lettre de Halden, publiée dans le numéro d'octobre 1906 de la *Revue canadienne* et adressée à «Monsieur Jules Fournier, Rédacteur au *Canada* et collaborateur à la *Revue Canadienne,* Montréal», nous renseigne sur les circonstances qui l'ont amené à répondre publiquement au journaliste-écrivain: «Ce m'est donc une agréable surprise de recevoir l'exemplaire que vous voulez bien m'adresser par l'intermédiaire de votre Commissariat général de France, et de trouver le court billet qui accompagne votre envoi.» Ce billet n'a malheureusment jamais été retrouvé. Cependant, grâce aux «quelques observations et remarques» qu'Halden apporte à sa lecture, il est assez facile d'en reconstituer le ton et le sens général:

> Le billet d'abord. Ce sera bref, étant personnel. Vous me faites l'honneur de me demander si je suis sérieux lorsque je parle d'une littérature canadienne-française.
>
> [...] Vous me faites ensuite l'honneur de m'informer qu'en dix minutes de conversation vous me révéleriez un état de choses dont je n'ai pas l'air de me douter [8].

Au premier abord, la démarche de Fournier déconcerte. Il y a déjà plus de deux ans que les *Études* ont été publiées. L'ouvrage n'est plus de première actualité. Pourquoi interpeller ainsi son auteur? Quels desseins poursuit Jules Fournier en lui faisant parvenir son texte et ce billet?

Il faut se souvenir qu'à l'époque, l'ouvrage de Charles ab der Halden était encore le seul ouvrage d'envergure qui puisse rivaliser avec *L'Histoire* d'Edmond Lareau, parue en 1874. Camille Roy ne publiera ses *Essais de littérature canadienne-française* qu'en 1907. Les *Études* possédaient incontestablement une valeur hautement symbolique. De plus, malgré un accueil généralement sympathique, le livre s'était vu reprocher ce que Fournier reproche à la critique canadienne, c'est-à-dire un usage inconsidéré de l'éloge[9]. On peut aussi penser que le journaliste, informé par quelque correspondant de Charles ab der Halden, avait eu vent de cette suite que Halden allait bientôt donner à sa première série de portraits canadiens. Quoi qu'il en soit, il demeure qu'au-delà de la divergence fondamentale qui les oppose, aucun indice ne laisse supposer que Fournier puisse mésestimer son «adversaire». Au contraire, car si l'on se rappelle la virulence de certains articles du «journaliste de combat[10]», ceux en particulier mettant en scène «le père de la critique canadienne», l'abbé Camille Roy[11], il paraît évident que Fournier éprouvait du respect pour le critique français. N'avaient-ils d'ailleurs pas, à quelques reprises, partagé les colonnes du journal d'Olivar Asselin, *Le Nationaliste*? N'admiraient-ils pas tous deux — à l'encontre des réserves de Camille Roy et du *Bulletin du parler français au Canada* — l'œuvre d'Émile Nelligan et le commentaire critique qu'en avait fait Louis Dantin?

Du côté de Halden, en dépit d'un agacement évident, plus perceptible encore dans la courte lettre qui clôt la polémique, ses propos contiennent une part de sympathie et même de connivence. Cette attitude laisse à penser que, derrière les propos échangés, derrière les arguments avancés de part et d'autre, s'affrontent non pas deux individus qui ont des comptes à régler, mais plutôt deux écrivains désenchantés qui cherchent à exprimer une déception commune à travers la défense sinon l'illustration d'une certaine idée du destin littéraire du Québec. Comme si ce n'était pas tant au passé ou au présent que l'on demandait de s'expliquer, mais bien à l'avenir.

Cette affirmation un peu péremptoire sur laquelle il faudra revenir nous incite à nous demander si les deux hommes se connaissaient avant le déclenchement de la polémique. De réputation sûrement, mais il semble peu probable qu'ils se soient rencontrés. Charles ab der Halden n'est jamais venu au Québec. On le lui reprochera d'ailleurs à plusieurs reprises. Commentant la parution des *Nouvelles Études,* la journaliste Françoise (pseudonyme de Robertine Barry) écrit: «Si l'on veut parler avec [*sic*] connaissance de cause des hommes et des femmes de lettres canadiennes, on doit, non seulement connaître leurs œuvres, mais encore venir les voir dans l'ambiance de leur atmosphère.» («Le livre de M. ab der Halden», *Le Journal de Françoise,* 16 novembre 1907, p. 247.) Dans cet article, Françoise reprend plusieurs des arguments de Fournier. Quant à Jules Fournier, encore tout jeune journaliste, il ne se rendra en France, pour la première fois, qu'en août 1909, quelques jours après sa sortie de prison. Au moment du séjour de Fournier, le critique français n'habite plus Paris et son intérêt pour la littérature française d'outre-Atlantique s'est considérablement refroidi. Sa carrière dans l'instruction publique prend de plus en plus le pas sur ses activités littéraires. Halden occupe alors les fonctions d'inspecteur de l'enseignement primaire, à Saint-Armand, dans le Cher, depuis le 8 janvier 1907. Quelques mois plus tard, il quittera d'ailleurs la France pour l'Algérie.

Repérage de circonstances

Matériellement, la polémique tient en quatre lettres et un billet jamais retrouvé. Deux lettres de Fournier, deux de Halden, toutes quatre publiées sous forme de lettre ouverte dans la «conformiste *Revue canadienne*» ainsi que la qualifie Hermas Bastien[12].

Si l'on veut établir une stricte chronologie de la polémique, il faut signaler qu'entre la parution de «Comme Préface» et la parution de la dernière lettre adressée par Halden à son correspondant canadien, il s'écoule huit mois. Les diverses interventions se distribuent de la façon suivante:

AUTEUR	TEXTE	DATE DE SIGNATURE	DATE DE PUBLICATION
Fournier	«Comme Préface»	janvier 1905	juillet 1906
Fournier	«P.S.»	juin 1906	
Fournier	Billet à Halden	date inconnue	non publié
Halden	«À M. Jules Fournier»	12 septembre 1906	octobre 1906
Fournier	«Réplique à M. ab der Halden»	26 décembre 1906	février 1907
Halden	«À M. Jules Fournier»	20 février 1907	mars 1907

L'ensemble de la polémique occupe trente pages de la *Revue canadienne*.

Le brouillard diglossique

Sur la question de la langue, Fournier, on le sait, a été très actif tout au long de sa trop courte carrière. Au nombre de ses meilleurs articles, il faut compter ceux qu'il a consacrés à la situation linguistique. Les deux derniers textes qu'il a écrits, en 1917, s'intitulent d'ailleurs «La langue française au Canada». Écrites en réponse à un livre de Louvigny de Montigny et reprenant son titre, ces deux lettres de Fournier, dont la dernière est demeurée inachevée, ont été reproduites dans *Mon encrier*[13]. D'une façon moins détaillée et moins précise, les principaux points de l'argumentation de Fournier sont déjà contenus dans la correspondance avec Halden. L'analyse de fond sur laquelle s'appuiera toute son action ultérieure est là dans ses grandes lignes.

Les commentaires portent autant sur la langue parlée de ses compatriotes que sur la langue littéraire, la dernière étant, selon lui, largement dépendante de la première. Jules Fournier estime que la langue française au Québec se porte mal:

> Non seulement l'expression anglaise nous envahit, mais aussi l'esprit anglais. Nos Canadiens français parlent encore en français, ils pensent déjà en anglais. Ou du moins, ils ne pensent plus en français. Nous n'avons plus la mentalité française[14].

Dans un tel contexte, le métier d'écrivain lui paraît plus difficile qu'ailleurs:

> Soyez-leur [aux écrivains canadiens] indulgent, et épargnez-leur non seulement la raillerie mais aussi les jugements sévères. Ne perdez pas de vue le côté difficile et pénible de leur situation. N'oubliez pas que seulement pour apprendre à écrire le français avec correction ils sont tenus à des efforts énormes. Songez que l'anglicisme est répandu partout comme un brouillard devant nos idées[15].

À plusieurs reprises, Fournier dénonce la pauvreté d'idées et la pauvreté de mots qu'une certaine «critique bibliographique» tente de faire passer pour de la littérature. Camille Roy fera lui-même l'objet de deux très dures attaques pour avoir manqué de sévérité et d'exigence. Le journaliste a horreur de la propension canadienne à l'«à peu près»: «On peut les compter les productions de nos Canadiens qui ne sont pas que d'insignifiants pastiches, quand elles n'affichent pas la plus profonde absence de tout style et souvent une crasse ignorance de la grammaire[16].» Il a tout autant horreur du culte de l'archaïsme et du régionalisme à tout crin: «Et tout d'abord, ce livre sur la langue française, né d'un sentiment pieux envers la «doulce parlure» et «apertement dédié» à la défendre, ce livre, pardonnez la brutalité de ma question, est-il, ou non, écrit en français[17]?» Un peu plus loin dans cette même lettre adressée à Louvigny de Montigny, Fournier définit ce que signifie pour lui «écrire en français»:

> J'appelle «écrire en français», pour les pauvres gens que nous sommes, le fait, sans plus, si nous ne pouvons écrire *bien,* au moins de ne pas écrire mal. Je dis d'un livre, en d'autres termes, qu'il est «écrit en français» si l'auteur a su, tout simplement, *éviter les fautes* — les fautes du moins par trop grossières, — «contre les règles grammaticales» et «contre les lois littéraires»[18].

L'association langue/littérature

Au moment de la polémique, certaines réactions de Charles ab der Halden montrent qu'il est loin de partager la sévérité du jugement que Fournier porte sur la situation linguistique du Québec. Il ne semble pas non plus saisir la teneur de la relation que le journaliste canadien établit entre le statut et l'état de la langue et les chances de constitution d'une littérature nationale.

Pour ab der Halden, comme pour la majorité des commentateurs européens de l'époque, le seul fait que l'on parlât encore français sur les bords du Saint-Laurent tenait du miracle. La nouvelle créait tant d'étonnement et de plaisir que les conditions concrètes dans lesquelles cette langue devait vivre perdaient toute réalité. Mais au fond comment un Français pouvait-il croire ou seulement imaginer qu'un peuple parlant une langue souveraine et prestigieuse comme l'était alors la langue française puisse être considéré comme «inférieur sous le rapport de la richesse et sous le rapport de l'influence», comme l'écrivait Fournier à Halden? Qu'un pays où l'on parle français puisse être perçu comme «l'enfer de l'homme de lettres»?

Jusqu'à sa polémique avec Fournier et même au moment de l'échange épistolaire, Halden ne semble pas accorder beaucoup d'importance à la question soulevée par Arthur Buies et reprise par Fournier. Dans son premier ouvrage, Charles ab der Halden se montre surtout charmé par les particularités linguistiques du Québec. Les accents archaïsants et populaires du français des rives du Saint-Laurent l'enchantent. C'est l'heure bleue de la découverte. Le critique s'étonne de ce que certains puissent s'inquiéter à propos de l'avenir littéraire des Québécois. Aussi traite-t-il avec légèreté et humour les propos pessimistes d'Octave Crémazie et d'Arthur Buies et invite-t-il ses compatriotes à lire «ces belles pages écrites à des milliers de kilomètres dans un français qui rendrait jaloux plus d'un riverain de la Seine.» (1904, p. 272.)

Trois ans plus tard, au moment de la parution des *Nouvelles Études,* on constate que le ton a changé et que la réflexion a pris un bain de réalité. Les pages consacrées à Arthur Buies, parmi les meilleures du volume, permettent à l'auteur de revenir sur le sujet de la langue. L'examen cette fois est plus sérieux. Il note:

> Il est peu de questions aussi capitales pour le Canada français que celle de la langue. (1907, p. 121.)

Halden n'ironise plus. Au contraire, lui, jadis si confiant, semble maintenant partager les inquiétudes de Buies et de Fournier. La longue lettre[19] à Louvigny de Montigny qui ouvre les *Nouvelles Études* le laisse entendre:

> Sans doute, la prudence, l'intérêt personnel m'engagerait à passer sous silence qu'il existe des questions brûlantes, à feindre de les ignorer.

Plus loin, il ajoute: «Si donc les conditions sociales au milieu desquelles vous vivez vous satisfont, vous assurent le bonheur, tant mieux pour vous.» La lettre à Louvigny de Montigny est datée de septembre 1906.

Sa querelle avec Fournier a-t-elle pu modifier son approche de la littérature canadienne-française? Quelques indices incitent à le penser. Ne serait-ce pas à Fournier, qui lui a reproché le titre de son premier ouvrage, qu'ab der Halden répond lorsqu'il écrit dans les toutes premières pages des *Nouvelles Études:* «Je n'ai pas la prétention de rendre des verdicts. Ce livre devrait s'appeler *Lectures canadiennes*. Il renferme seulement, avec exemples à l'appui, les réflexions que je rapporte de mes promenades à travers vos livres[20].» L'expression «littérature canadienne-française» n'apparaît plus.

Une question de diapason

Lorsqu'on examine avec attention les positions des deux protagonistes sur la question qui a soulevé le plus de passion et qui a largement contribué à faire entrer la querelle dans l'histoire littéraire, celle de l'existence d'une littérature nationale au Québec, on constate que ces positions sont loin d'être aussi éloignées l'une de l'autre que l'on est généralement porté à le croire.

Pour Fournier «la collection lilliputienne des ouvrages écrits en français par des Canadiens[21] compte mille fois moins encore par la valeur que par le nombre». Il prétend que les neuf dixièmes de la production canadienne ne répondent pas aux exigences de correction grammaticale, de perfection stylistique et d'originalité qui caractérisent partout ailleurs l'œuvre littéraire, et que les rares ouvrages qui présentent ces qualités sont en nombre trop réduit pour constituer une «littérature nationale».

Aux affirmations de Fournier, Charles ab der Haden répond:

> Tout cela confirme simplement, ce que je disais en 1901, au début de mon livre: «Si nous ne pouvons saluer l'éclosion d'aucun chef-d'œuvre, nous aurons du moins la consolation de nous dire que ce n'est point en général par des chefs-d'œuvre que les littératures commencent.» […]

> La littérature canadienne existe. Elle est encore frêle, elle a beaucoup à faire, elle n'a pas donné sa mesure, elle nous doit infiniment plus que ce qu'elle nous a donné jusqu'ici[22].

Après avoir amorcé sa réponse à Fournier en lui signalant «l'apparence paradoxale qu'[il] donnait, dans son article intitulé «Comme Préface», à *certaines vérités* dont un observateur attentif des choses canadiennes pouvait, même de loin, découvrir l'existence après quelques années d'études[23]», et en lui précisant que l'idée de l'existence d'une littérature canadienne-française n'était pas de lui et que, «si mystification il y a, [il] est le premier mystifié[24]», Halden termine sur cette observation, elle aussi un peu paradoxale:

> Si vous avez trouvé mon livre trop élogieux c'est que vous n'aurez pas fait attention, peut-être, que l'on peut tout dire sans se fâcher, et même en restant de bonne humeur — et que tout cela est affaire de diapason. Je crains seulement, Monsieur, que ce soit le fond de notre désaccord apparent[25].

Il ajoute: «Notre diapason n'est pas le même.» Le désaccord entre les deux hommes ne serait qu'apparent. C'est Charles ab der Halden qui le dit. Une simple «discussion de mots», selon l'expression de ce chroniqueur du *Soleil* que nous citions précédemment.

Donnant raison à Fournier sur le «fond» du débat, le critique français se trouve à admettre le peu de réalité proprement littéraire de cette production commodément appelée «littérature canadienne-française». Mais, si le passé et même le présent littéraires du Québec n'ont, dans l'ensemble, rien de glorieux, Halden croit qu'il faut conserver espoir: «Nous sommes assez jeunes l'un et l'autre pour voir le temps où vous ne contesterez plus aux ouvrages canadiens le droit de former une littérature canadienne, fille émancipée de la nôtre[26], comme la littérature suisse ou la littérature belge[27].» Ce n'est pas autre chose que prétend Fournier: «Seulement si nous n'avons pas de littérature aujoud'hui, ne pourrons-nous pas en avoir demain? La chose, à notre sens, ne doit pas paraître impossible à quiconque a foi dans la conservation de notre race et de sa langue[28].» La différence, pour l'essentiel, serait donc imputable à la manière de voir et surtout de rendre compte de cet état de fait littéraire.

Les séductions du style

Tout le propos de Fournier vise à dénoncer les conditions d'exercice de l'activité littéraire au Québec, conditions qui font que «le succès littéraire est une loterie pour laquelle il ne se vend que de faux billets et à laquelle on perd toujours à coup sûr[29]». Fournier déplore avant tout le manque d'originalité — de «littérarité», dirionsnous aujourd'hui — de la littérature canadienne. Aussi utilise-t-il son aventure personnelle avec son roman *Le Crime de Lachine* comme une métaphore de la situation littéraire du Québec. Pas plus que ce «livre sans littérature» ne méritait d'être signé, l'ensemble de la production littéraire du Canada ne mérite de porter la signature collective que représente l'appellation «littérature canadienne-française». Selon lui, il manque aux écrits du Québec ce qui manque à son «roman populaire canadien», le cachet d'originalité, le travail du style, le souci de la forme qui seuls peuvent accorder à un ouvrage le droit d'être consacré «œuvre littéraire». Il soutient que les «neuf dixièmes [des] auteurs canadiens les mieux cotés [...] pour que la justice se fit complète, devraient être condamnés à effacer leurs manuscrits avec leur langue — tout comme ces détestables poètes de l'ancien temps dont on vous a conté l'histoire». Charles ab der Halden n'est pas loin de partager cette conception du littéraire fondée davantage sur des critères esthétiques que sur des critères éthiques.

Les deux hommes se rejoignent aussi dans le grand souci stylistique que manifeste leur échange épistolaire. Leurs lettres, cela est évident, sont conçues autant pour séduire que pour convaincre, et à certains moments bien davantage pour séduire. Dans cette querelle, une place très importante est réservée à ce que Halden appelle «l'exercice de l'art».

Chacun, à tour de rôle, souligne les qualités d'écriture du texte de son «adversaire». Halden écrit à Fournier qu'il a «apprécié le tour dégagé, l'allure sarcastique» de son article, qu'il qualifie plus loin de «verveuse préface». Fournier, quant à lui, dit de la réponse de Halden qu'il s'agit là d'une «fort belle lettre — si belle qu'[il] se voit tout confus […] d'avoir à [y] répondre».

Véritablement, ce sont deux écrivains qui sont à l'œuvre, deux écrivains débutants mais déjà en exil de l'écriture. Le premier a fait, à l'âge de 26 ans, ses adieux publics à la poésie en publiant un premier recueil de vers intitulé *La Veillée des Armes:*

«Adieu, Musette, adieu, cigale,
Chanteuse obscure des étés,
Gamine à l'humeur inégale
Avec tes ingénuités.

[…]

Mais que veux-tu? C'est l'existence,
Il faut que je gagne mon pain.
On ne dîne pas d'une stance,
D'eau claire, et de pommes de pin.»

[…]

«Oui, j'aurais pu t'ouvrir les villes,
Te mettre du rouge et du blanc,
Et t'arracher les chansons viles
Que l'on hurle dans un beuglant.

C'eût été facile et commode,
Et qui sait? si j'avais voulu,
Tu serais la muse à la mode,
Et moi, peut-être, un auteur lu.

Mais reste là sous la ramée,
Et moi, je fuirai sans pâlir,
Car j'aime mieux, ô bien-aimée
T'abandonner que t'avilir.

Et plus tard, savant en retraite,
Vieux professeur las et fourbu,
Je chercherai qui je regrette,
Je viendrai boire où j'aurai bu[30].

Quant au second, il se désespère de ne pouvoir écrire et signer une œuvre de «valeur» au moment où il publie son premier livre:

> Nous qui écrivons ces lignes, nous avons conscience de pouvoir faire mieux [...].
>
> Seulement, par ici, on n'exige pas de nous — je ne dirai pas un chef-d'œuvre, évidemment, mais on n'exige même pas — un ouvrage soigné au point de vue littéraire[31].

Les deux destins se ressemblent: dans le renoncement à la carrière d'écrivain, dans l'évocation de contraintes matérielles, dans le choix d'une carrière connexe à la carrière d'écrivain. Pour Fournier, le journalisme et à l'occasion la critique littéraire; pour Halden, le professorat et la critique littéraire.

En dépit de ces nombreux points de convergence qui donnent à la querelle le charme de l'intelligence complice, les deux trajectoires peuvent difficilement être comparées. Elles appartiennent chacune à un champ littéraire différent. La position de Charles ab der Halden, poète, dans un champ fortement constitué et largement autonomisé comme le sont en 1900 le champ littéraire français et le sous-champ poétique, a peu à voir avec la position de Jules Fournier, romancier débutant dans une littérature naissante et dans une «langue humiliée[32]». Cette distorsion explique, en partie du moins, l'admiration que Fournier porte à tout ce qui vient de France.

Ardent nationaliste, Fournier n'en cultive pas moins tout au long de sa vie une profonde et fervente francophilie. Dans certains paragraphes de «Comme Préface», la supériorité absolue qu'il prête à ce qui s'écrit en France est évidente:

> À l'heure qu'il est, nous connaissons nous-mêmes, seulement à Montréal, une dizaine de jeunes gens des plus remarquablement doués. Avec l'indispensable encouragement qui ne leur viendra sans doute pas de sitôt, ils pourraient produire des choses *évidemment pas comparables aux livres de nos cousins de France,* mais qui, malgré leurs faiblesses, ne manqueraient ni d'originalité, ni de couleur, ni de charme[33].

Dans la «Réplique à M. ab der Halden», il se portera à la défense de la critique française, fâché du traitement qu'Halden lui a fait subir: «J'ai dénoncé, il est vrai, les comptes rendus bibliographiques de nos journaux nègres où s'incorpore toute notre soit-disant [*sic*] critique. Mais jamais je n'ai voulu, comme vous, m'attaquer à la critique française[34].»

La francophilie de Fournier est chose connue. Depuis sa rencontre avec l'instituteur Weber, en passant par les quelques lettres échangées avec le critique Jules Lemaître jusqu'à ses entrevues avec des «gloires littéraires[35]», la France a agi sur lui et sur sa formation intellectuelle comme un aimant et comme un idéal. Dans sa biographie de Fournier, Adrien Thério fournit une série de faits et d'anecdotes illustrant l'attraction que la culture française exerçait sur lui. Mais il faut préciser que, chez Fournier, cet intérêt ne se limite pas au XVIIe siècle, comme chez un grand nombre d'intellectuels canadiens de l'époque. Le journaliste-écrivain se tient au courant de la production contemporaine; le contenu de sa bibliothèque personnelle le prouve[36]. De plus, il a largement contribué à faire lire des auteurs comme Léon Bloy dont il a été le premier à parler au Québec.

Grosso modo, si l'on veut situer Fournier dans le champ littéraire de son époque, on voit que l'ensemble de sa trajectoire sociale (origine modeste, formation inachevée, profession) le prépare à jouer un rôle d'animateur dans une semi-marginalité littéraire. Fournier occupe — à partir de la querelle jusqu'à la fin de sa vie — une position intermédiaire entre, d'une part, le groupe de poètes avant-gardistes qu'il a côtoyé au *Nationaliste* et, d'autre part, les écrivains traditionalistes. Avec les «exotiques», il partage un certain idéal littéraire tout en conservant une distance que son origine sociale ainsi que son engagement dans la défense des intérêts nationaux du Québec permettent d'expliquer.

Dans un article paru en 1985, Renald Bérubé démontre comment l'œuvre éclatée de Fournier trouve son unité et sa cohérence dans les traces laissées par le travail du style, qui est le travail d'inscription du «je» de l'essayiste: «Acquérir, reconquérir son langage: tel pourrait bien être en effet le cœur même (l'étoffe) de l'entreprise de Fournier et la métaphore centrale qui regroupe et recouvre les sujets (apparemment) divers et multiples [de son œuvre][37].» S'appuyant sur le témoignage d'Olivar Asselin, Bérubé montre comment Fournier n'a cessé de corriger et de parfaire son style.

Thème unificateur, cette quête/reconquête d'un langage maîtrisé et personnel se nourrit curieusement — comment ne pas le voir — de la conscience qu'a Fournier de la dépossession linguistique des Québécois. Chez Fournier, le «je» et le «nous» entretiennent des relations très étroites et ambiguës, pour ne pas dire paradoxales.

D'un paradoxe à l'autre

À la carrière et au style même de Fournier est attaché le terme «paradoxe». Le premier à l'utiliser fut sans doute Halden lorsqu'il souligna «l'apparence paradoxale» que le journaliste donnait à ses propos dans «Comme Préface».

L'expression allait avoir la vie longue et heureuse après avoir connu une recrudescence d'actualité avec la publication posthume de son *Anthologie:* «1920: Première édition de l'*Anthologie des Poètes canadiens* à laquelle Fournier avait travaillé pendant qu'il soutenait que la littérature canadienne n'existait pas[38].» Dans la préface qu'il compose à l'occasion de cette première édition, Olivar Asselin, après avoir réaffirmé «la vérité exacte, mathématique» de l'inexistence d'une véritable littérature nationale au Québec, tente de dénouer le paradoxe en expliquant «pourquoi Fournier, sans avoir jamais changé d'opinion, consacre à la composition d'une anthologie des poètes canadiens le loisir de ses dernières années» (1920, p. 9).

Pour Asselin, il ne fait aucun doute que le projet de cette *Anthologie* s'inscrit dans le seul combat pour lequel son ami a conservé toute sa fougue et toute son ardeur jusqu'à la fin, celui du français. «Ce fidèle serviteur de la langue, comme l'appelle Asselin, rien qu'à juxtaposer la «poésie» canadienne de 1800 à 1840 et celle d'aujourd'hui [...] ne pouvait point être frappé et ne pas se réjouir du progrès accompli chez nous sous le double rapport du sentiment et de l'expression poétiques.» (1920, p. 11.)

On ne saura malheureusement jamais, comme le souligne Jacques Blais[39], les véritables motifs qui poussèrent Fournier à s'engager dans ce long exercice de compilation ni les critères qui furent à l'origine de ses choix de textes. Mais parmi les hypothèses à envisager, Jacques Blais souligne celle-ci: «Le projet d'une anthologie des poètes vint peut-être à Jules Fournier du désir de répliquer à l'ouvrage d'Antonin Nantel, les *Fleurs de la poésie canadienne* (1869), dont il avait pu prendre connaissance en classe de Rhétorique.»

Outre le désir de faire le point sur la production poétique depuis 1869, outre le plaisir de souligner les progrès accomplis dans la maîtrise du français, Fournier veut peut-être aussi mettre l'accent sur le genre littéraire dans lequel, à son avis, se sont le mieux exprimés les écrivains canadiens. Pour preuve, ses lettres à Halden et ses articles de critique littéraire qui révèlent ses choix de lecture. À l'exception de l'historien Garneau et du chroniqueur Buies, les seuls écrivains canadiens qui trouvent grâce à ses yeux sont des poètes. Il faut remarquer que l'*Anthologie* n'est pas celle de la «poésie canadienne» mais celle des «poètes canadiens». De cette façon, Fournier réaffirme sa conviction qu'il existe au Québec «un nombre considérable de réels talents» («Comme Préface», p. 25), mais pas encore de «littérature».

Là-dessus, les préférences de Fournier sont partagées par Charles ab der Halden. Les noms d'auteurs du passé (de Gaspé, Garneau, Crémazie, Fréchette et Buies) sont cités comme ayant «laissé des pages de mérite[40]». Chez les contemporains qui, de l'avis de Halden comme de l'avis de Fournier, présentent des œuvres beaucoup plus accomplies que celles de leurs prédécesseurs, ce sont les poètes Émile Nelligan et Albert Lozeau qui reçoivent leurs faveurs. Chacun à leur façon, Halden et Fournier contribuent à la promotion de la «nouvelle poésie québécoise», celle qui naît autour de l'École littéraire de Montréal[41].

Halden et Fournier — malgré l'étonnant d'une telle affirmation — semblent souvent du même combat.

Autres journaux, autres échos

Des milieux touchés par la querelle, ce sont évidemment les milieux intellectuels québécois qui l'ont été le plus durement. La très grande majorité des journaux et des revues consacrent quelques paragraphes à l'événement qui, pour reprendre les termes d'un article de l'époque, «a suscité […] beaucoup de bruit, beaucoup de commentaires et quelques polémiques[42]».

Dans l'ensemble, derrière les propos — que ceux-ci soient favorables ou défavorables à la position de Jules Fournier — pointe toujours un certain malaise, subsiste comme une hésitation. Les commentaires tranchés sont rares, mais il y en a eu. Entre autres, un article de la *Vigie* reproche à la *Revue canadienne* d'avoir publié «une dissertation de quarante pages pour prouver qu'il n'existe pas de littérature canadienne»:

> […] un peuple n'a pas le droit d'être difficile quand son unique revue littéraire dénonce les étrangers qui nous font des compliments et tresse des couronnes à ceux qui nous insultent.

Un pareil système, s'il était appliqué, nous mènerait tout droit au crétinisme littéraire, politique et religieux[43].

Dans la même édition, celle du 15 avril 1907, sur la même page, le journal *Le Canada* publie un autre article traitant du différend Halden Fournier. Ce point de vue, signé par Albert Lozeau, est exemplaire de la position ambivalente adoptée par l'ensemble de la presse. Il faudrait le citer en entier:

> Il me semble qu'il y a bien de la subtilité là-dedans, et que toute la discussion repose sur le sens que l'on prête au mot «littérature». Si on appelle littérature l'ensemble des productions littéraires, ayant un caractère artistique, d'un pays, il me paraît qu'une douzaine d'ouvrages de valeur ne saurait constituer une littérature. À le prendre au pied de la lettre un «ensemble» est formé d'un nombre plus considérable d'œuvres qu'en a produit jusqu'ici le Canada.
>
> Néanmoins pour désigner ces productions de la plume, il faut bien employer le terme général de «littérature» faute d'un autre plus juste, et qualifier cette littérature de «canadienne-française», puisqu'elle n'est ni espagnole, ni anglaise, ni chinoise, ni tout à fait française. Et ce jugement presque algébrique justifie, ce me semble, M. Ab der Halden [*sic*] d'avoir intitulé son livre: *Études de littérature canadienne française*[44].

On comprend que Lozeau, dont le premier recueil de poésie est sur le point de paraître en France chez F.R. de Rudeval, grâce à l'appui de Charles ab der Halden, ne puisse échapper à la force d'attraction de ce «jugement algébrique». Mais, au-delà des intérêts personnels qui l'animent, la position de Lozeau, toute hésitante et résolument conciliante qu'elle soit, ne peut s'empêcher de laisser apparaître l'importance des dissensions qui se font de plus en plus nombreuses à l'intérieur du champ littéraire québécois. Avant de citer un éloquent aparté d'Albert Lozeau, il faut préciser que le texte fait référence à deux articles publiés dans *Le Canada* par Fernand Rinfret[45], dans lesquels Rinfret récusait le jugement de Fournier:

> M. Rinfret s'étonne qu'on ait pu soutenir un pareil paradoxe, et essaie de prouver par une énumération de vieux et de *relativement* jeunes auteurs — *pas les plus jeunes, car eux ne comptent pas et leur gloire, si jamais ils en ont, rejaillira tout entière sur la*

Turquie — que nous avons une littérature canadienne, pas extrêmement riche, à la vérité, mais enfin que nous en avons une. Il se
peut que M. Rinfret a [*sic*] raison et M. Fournier n'ait pas
complètement tort[46].

On devine malgré tout de quel côté vont les sympathies profondes
— ainsi que les intérêts de génération littéraire — du jeune poète.

La journaliste Françoise (Robertine Barry) adopte une attitude
assez voisine de celle de Lozeau. Elle fait, à l'occasion d'une recen-
sion des *Nouvelles Études,* cette discrète allusion au débat:

> La littérature canadienne, en supposant qu'elle existe, — je crois
> à sa présence, invisible si l'on veut, mais réelle, j'en fais haute-
> ment la profession de foi — notre littérature, dis-je, a sûrement
> besoin, non seulement d'être encouragée, mais d'être guidée dans
> la voie du développement et de la perfection.
>
> Pendant longtemps, cette direction lui a fait défaut; nous avons
> même adopté, les uns vis-à-vis des autres, un mode d'admiration
> mutuelle que nous avions imposé jusqu'à l'étranger[47].

Ailleurs, un autre chroniqueur s'étonne de ce qui lui paraît une
tempête dans un verre d'eau:

> Nous n'avons jamais bien compris la querelle d'Allemand faite
> récemment à M. Halden. Avons-nous ou n'avons-nous pas une
> littérature canadienne-française? Discussion de mots après tout.
> M. Halden est pour l'affirmative et consacre des volumes à
> démontrer qu'il a raison, tandis que certains de nos compatriotes
> soutiennent la proposition contraire. Vraiment on serait en droit
> de nous trouver difficiles à satisfaire! Jadis nous nous plaignions
> de l'indifférence de nos cousins de France à notre égard;
> aujourd'hui qu'on parle de nous et de nos hommes de lettres avec
> une sympathie marquée, nous trouvons à redire! Que voulez-
> vous! C'est peut-être là notre façon de prouver que nous sommes
> bien de sang normand[48].

Le quotidien *Le Soleil,* quant à lui, sous le couvert d'une relation objective des faits se permet de citer longuement la «Réplique à
M. ab der Halden». Le paragraphe de présentation vaut la peine
d'être cité:

> Notre ami et confrère, M. Jules Fournier, publie dans la *Revue Canadienne*, livraison de février, une lettre-réplique à M. Ab-der-Halden [*sic*], littérateur français. Sans vouloir entrer dans le débat ni donner raison à l'un plutôt que [*sic*] l'autre de ces messieurs — le sujet de leur polémique est la littérature canadienne — nous tenons à féliciter notre camarade de la manière habile avec laquelle il défend sa thèse. Voici comment M. Fournier démontre que nous souffrons de n'avoir pas une critique juste et éclairée[49].

La querelle se trouve présentée ici à la manière d'une joute oratoire dans laquelle, sur la justesse de l'analyse, prime le travail de la forme. C'est bien sûr pour le chroniqueur anonyme du *Soleil* une façon d'appuyer la position de Fournier sans avoir à critiquer celle de Halden.

L'affaire de la coédition

À propos des conditions de diffusion des textes de la querelle, un fait mérite d'être signalé: les deux volumes de l'année 1907 de la *Revue canadienne*[50] portent la mention d'une coédition française, ce qui est inhabituel dans l'histoire de la revue. L'étonnement et l'intérêt s'accroissent à la vue du nom de cet éditeur fort actif à l'époque dans le petit monde des Lettres canadiennes en France:

> F. R. de Rudeval, Éditeur
> 4, rue Antoine-Dubois
> Paris

Nulle mention en 1906 ou au cours des années antérieures. Nulle mention non plus après 1907.

Rappelons d'abord que l'éditeur parisien fait preuve cette année-là d'un dynamisme remarquable en multipliant les initiatives en faveur de la jeune littérature du Québec. Il fonde une collection dont le titre est un programme à lui seul: «Bibliothèque canadienne». Rudeval en confie la direction à l'un de ses auteurs maison, Charles ab der Halden. Les deux premiers titres à paraître en 1907 sont *L'Âme solitaire* du poète Albert Lozeau et les *Nouvelles Études de littérature canadienne française* de Halden. La même année, une réédition des

Études permet d'inscrire l'ouvrage dans la nouvelle collection. Cette réédition semble indiquer que les *Études* ont connu la faveur du public. On ignore quel en a pu être le tirage initial et combien d'exemplaires ont été destinés au marché québécois. Par contre, le premier tirage de *L'Âme solitaire* ayant été de 1 100 exemplaires (ces chiffres proviennent de l'édition définitive de *L'Âme solitaire,* préfacée par l'abbé F. Charbonnier, Montréal, 1925), on peut évaluer à environ 2 000 celui des *Études.*

Quelques mois plus tard, en janvier 1908, Rudeval — éditeur de la *Revue d'Europe et des colonies* depuis quelques années — annonce d'importants changements éditoriaux qui témoignent d'une nette volonté de mettre l'accent sur les réalités du «Nouveau-Monde». Pour bien marquer ce changement d'orientation, la revue, dont le siège social est à Paris, devient la *Revue d'Europe et d'Amérique.* La direction confie à Charles ab der Halden, l'un de ses collaborateurs les plus fidèles, la tâche d'animer une nouvelle section entièrement consacrée à la littérature canadienne.

On peut supposer, sans grand risque d'erreur, que Charles ab der Halden est à l'origine des initiatives de son éditeur, du côté de la *Revue d'Europe et des colonies* comme du côté de la création de la «Bibliothèque canadienne», mais on s'explique plus difficilement la courte intervention de Rudeval dans l'édition de la *Revue canadienne.* L'éditeur prévoyait-il établir une collaboration à plus long terme qui aurait tourné court au moment des changements apportés à la direction de la *Revue canadienne?* Aurait-il voulu présenter au public français — pour reprendre les mots mêmes de Charles ab der Halden — «la situation un peu insolite d'un Français de France prenant vis-à-vis d'un Canadien la défense de ce qu'[il] lui demande encore l'autorisation d'appeler la Littérature canadienne-française[51]»?

Cette dernière hypothèse semble la plus plausible. En effet, dans les trois mois précédant le début de la coédition, la *Revue d'Europe et des colonies* fait à deux reprises écho à la querelle. La première fois, c'est Charles ab der Halden lui-même qui, dans une revue bibliographique consacrée aux nouveautés de l'édition canadienne, souligne la parution de «Comme Préface»:

> — *Revue canadienne* (août). Jules Fournier.
> «Comme Préface», article où l'auteur s'amuse à nier l'existence d'une littérature canadienne ou de quoi que ce soit d'approchant, alors que M. Fournier n'aurait qu'à consulter la monographie de MM. Geddes et Adj. Rivard[52].

Cette monographie dont le critique vient de parler quelques lignes plus haut est en fait «un catalogue analytique des ouvrages traitant de la langue française au Canada»: *Bibliographie du parler français au Canada*, Québec, Éd. Marcotte; Paris, Éd. Champion, 1906, 99 p. Il est étonnant de voir ab der Halden apporter cette publication comme preuve de l'existence de la littérature canadienne-française. En plus de ne pas constituer une œuvre «littéraire» au sens où Fournier le définissait dans son texte, la liste des titres qu'elle dévoile met l'accent sur les difficultés linguistiques des Québécois. La seconde fois, il est question de la première lettre que Charles ab der Halden adresse à Jules Fournier. La nouvelle est signée par C. Henryet, co-responsable avec Halden du «Bulletin bibliographique et littéraire»:

> [...] dans la *Revue canadienne,* une lettre de notre collaborateur Ch. ab der Halden en réponse à l'article de M. Jules Fournier, de Montréal, paru dans cette Revue, sous le titre «Comme Préface». Sous une forme ironique, indépendante et comme désintéressée, c'est un chaleureux plaidoyer en faveur de la littérature canadienne française[53].

Curieusement, on ne trouve, en 1907, aucun écho de la querelle. La parution des deux dernières lettres n'y est même pas soulignée, ce qui laisse à penser que Rudeval, coéditant la *Revue canadienne* cette année-là, avait jugé qu'il n'y avait pas lieu d'en reparler dans sa revue parisienne.

À propos de cette initiative de coédition, on peut envisager deux hypothèses: premièrement, Rudeval espère ainsi promouvoir l'ouvrage de Halden et susciter l'intérêt pour les premiers livres de la collection «Bibliothèque canadienne» qui étaient alors en production. La chose est vraisemblable. D'autre part, peut-on envisager l'idée que Charles ab der Halden et Jules Fournier aient mis au point, d'un commun assentiment, leur querelle et sa diffusion dans le but de mettre un frein à l'ascension des critiques associés au programme régionaliste du *Bulletin du parler français au Canada?* Car l'effet le plus important de cette querelle Charles ab der Halden/Jules Fournier n'a pas été — comme on s'est longtemps plu à le croire — d'opposer le champ littéraire qui était à se constituer au Québec au champ littéraire français. «Comme Préface» s'adressait au public canadien et attaquait certains chroniqueurs littéraires de l'époque. Sur ce point, Fournier a visé aussi juste qu'il a visé durement. Il n'est qu'à relire le texte d'introduction aux *Essais sur la littérature canadienne*[54] pour s'en convaincre.

Daté de février 1907, ce texte de vingt-trois pages constitue la réponse de Camille Roy à l'affirmation de Fournier. Commençant son texte, sous l'incipit «Notre critique littéraire», ses tout premiers mots sont: «*Car* elle existe, quoi qu'on dise souvent, et que l'on écrive quelquefois [...][55].» Le texte de Camille Roy reprend en les commentant les principaux points de l'argumentation de Jules Fournier:

> Et c'est tout cela [«l'inexpérience des choses de la littérature [qui] a souvent manqué à nos Boileaux canadiens»] qui a fait dire et écrire dans nos journaux ou dans nos revues que la critique littéraire n'existe pas au Canada. On le répétait assez bruyamment et spirituellement, il y a quelques mois encore, dans la *Revue canadienne*. Et l'on ajoute parfois, avec quelque pointe de sarcasme, que, d'ailleurs, la littérature canadienne elle-même n'existe pas plus sous notre ciel que la critique. Et, vraiment, s'il était notoire et assuré que la littérature canadienne n'existe pas, il faudrait bien, et de bonne grâce, excuser cette pauvre critique de n'être pas encore née[56].

Camille Roy s'applique à démontrer l'inexactitude des propos de Fournier. Le point de vue adopté lui permet de se situer en dehors du cercle où défile cette critique louangeuse et stérile. Il crée ainsi l'effet d'une rupture temporelle qui le projette au devant de la scène, dans la position autorisée du critique professionnel.

La querelle Fournier/Halden a agi sur le champ littéraire québécois à la façon d'un révélateur. Elle a obligé les uns et les autres, écrivains et critiques, à prendre parti tout autant sur l'état présent de la langue et de la «littérature» que sur les critères de définition de l'œuvre littéraire et du littéraire national. Elle a aussi fait apparaître le caractère éclaté d'un espace que, du côté des chroniqueurs du *Bulletin du parler français au Canada,* on se plaisait à penser et à décrire comme un tout solidaire et homogène. D'autre part, n'y a-t-il pas lieu de voir dans le changement d'opinions de Charles ab der Halden, comme dans son retrait du champ littéraire québécois, une sorte d'appui aux positions de Jules Fournier et une sorte de dénégation du programme de «nationalisation» dans lequel l'abbé Camille Roy allait engager la littérature du Québec?

CHAPITRE IV

Camille Roy, le grand programmateur

Au risque d'une métaphore incertaine, on dira que le pouvoir sur les fictions tend à l'élaboration d'un pays légal à défaut d'influer sur le pays réel, donc à la production d'une société fictive qui soit conforme à l'idéologie prêchée et qui évacue ainsi les questions que lui pose la société réelle.

CLAUDE LAFARGE
La Valeur littéraire, 1983.

En 1914, Camille Roy a quarante-quatre ans. Il a déjà publié plusieurs ouvrages de critique et d'histoire littéraire. Les plus importants sont sans conteste le *Tableau de l'histoire de la littérature canadienne-française* (1907), les *Essais sur la littérature canadienne* (1907), *Nos origines littéraires* (1909) ainsi que *Nouveaux Essais sur la littérature canadienne* (1914). Il n'a cependant pas encore publié son *Manuel d'histoire de la littérature canadienne-française* (1918), ouvrage auquel son nom demeure principalement associé.

Sa carrière d'auteur débute véritablement en 1907. Pendant les cinq années précédentes, alors qu'il est professeur au Séminaire de Québec, il se fait entendre et connaître par le biais de conférences et d'articles qui ont, pour la plupart, été recueillis et publiés en volumes[1]. De ces textes d'intervention, l'histoire littéraire en a surtout retenu un qui a agi sur le champ à la manière d'un manifeste, et sur la carrière de Camille Roy à la manière d'une feuille de route: «De la nationalisation de la littérature canadienne[2]». «Le mot modestement lancé, comme l'écrira Monseigneur Roy lui-même en 1931, eut quelque fortune[3].»

Prononcée le 5 décembre 1904, à l'occasion de la séance publique annuelle de la Société du parler français, cette conférence contient les grands principes qui sous-tendent les prises de position linguistiques et littéraires de Camille Roy. Fondée en 1902, la Société en était, au moment du prononcé de ce discours, à ses toutes premières assemblées publiques annuelles. On devine toute l'influence qu'ont pu avoir sur une institution nouvellement créée les propos «programmatifs» de Camille Roy. Dans son étude sur *Le Manuel d'histoire de la littérature canadienne de Mgr Camille Roy*, Lucie Robert soutient que «ces positions sur la nationalisation resteront les siennes jusqu'en 1931, année au cours de laquelle paraît «Critique et Littérature nationale» (1982, p. 14). Chose certaine, à la parution du *Manuel,* en 1918, la morphologie du champ littéraire est fixée et ce n'est qu'aux environs de 1937-1938 qu'un nouvel ensemble de signes laissera voir qu'une restructuration est à l'œuvre. Parmi ces signes annonçant la fin d'une configuration et le début d'une autre, il faut compter la tenue du Deuxième Congrès de la langue française du Canada, tenu à Québec, qui ne remporte pas le succès du premier, la fondation des Compagnons de Saint-Laurent, la publication d'œuvres qui se situent à la jonction de l'«ancien» et du «nouveau» comme *Menaud, maître-draveur, Trente Arpents, Les Engagés du grand portage* et des œuvres nettement innovatrices comme *Regards* et *Jeux dans l'espace.*

Le rôle joué par Camille Roy dans la constitution, la diffusion et la légitimation de la littérature du Québec est considérable. Capitale aussi la part qu'il a prise dans la sélection et le classement des œuvres de ses contemporains. Très souvent salué, par les autres et par lui-même, comme le «Père de la critique», il occupe, cela est incontestable, une position centrale dans la vie culturelle de la première moitié du XXᵉ siècle. Comme le note Pierre Bourdieu :

> Il faut s'aveugler pour ne pas voir que le discours sur l'œuvre [ou sur un ensemble national], n'est pas un simple accompagnement, destiné à en favoriser l'appréhension et l'appréciation, mais un moment de la production de l'œuvre [ou de l'ensemble national], de son sens, de sa valeur[4].

L'analyse de sa réussite, plutôt des stratégies d'accès à cette réussite qui paraît indiscutable dès 1918[5], ainsi que l'analyse des implicites linguistiques de ce discours qui contribuera à former le goût littéraire au Québec nous conduisent au cœur même des grands conflits de la période.

L'origine et la formation

Camille Roy, en dépit de l'air aristocratique qu'il dégage sur ses photographies, est fils de paysans. Il est né le 22 octobre 1870 à

Berthier-en-bas, dans le comté de Montmagny. Ses parents, Benjamin Roy et Desanges Gosselin, eurent «au moins vingt enfants[6]». Camille est le seizième.

Outre Camille, quatre autres garçons de la famille «embrassent l'état ecclésiastique»: Paul-Eugène devint archevêque de Québec; Philéas, curé à Rivière-du-Loup; Arsène, membre de l'ordre des Frères Prêcheurs et Alexandre curé à Saint-Henri de Lauzon.

Élève très doué, le jeune Camille semble — si l'on en croit les dires du frère Ludovic (Lorenzo Pouliot) qui se fit son biographe officiel en 1941 — n'avoir connu que des succès. Pendant ses études au Grand Séminaire, il commence déjà à enseigner la philosophie et la rhétorique. En 1894, il soutient avec tant de brio une thèse «qui embrassait les questions les plus ardues de la philosophie et de la scolastique» que Monseigneur Satolli, alors délégué apostolique aux États-Unis, lui «confèr[e] séance tenante le diplôme de Docteur en Philosophie[7]». La même année, il est ordonné prêtre.

Quatre ans plus tard, Camille Roy part pour Paris. Pendant trois ans, de 1898 à 1901, il étudie à l'Institut catholique et à la Sorbonne. En littérature, ses professeurs sont des adeptes de la critique intellectualiste: Émile Faguet et Gustave Lanson.

Les grandes influences

Camille Roy n'a nulle part évoqué ses années parisiennes, mais il ne semble pas avoir fréquenté les milieux littéraires de la Capitale ni avoir cherché à faire connaître, comme le faisait toujours avec une énergie étonnante l'abbé Casgrain quand il était de passage à Paris, la littérature qui s'écrivait au Québec. Les seules évocations, très minces, qu'il nous ait laissées de ce séjour d'études sont contenues dans la série de conférences qu'il a consacrées à la critique du XIXe siècle[8]. À trois reprises, il fait allusion à un cours ou à une conférence entendue. La première fois à propos de Lanson: «Écoutez quelqu'un qui est encore anticlérical jusqu'au sectarisme, et qui ne donne aucun signe de contrition, un professeur de la Sorbonne que j'ai entendu pendant un an donner chaque semaine d'érudites leçons traversées d'épigrammes hostiles, M. Gustave Lanson[9].» La deuxième allusion rappelle une conférence donnée par Ferdinand Brunetière à Paris, conférence où il «montrait de façon presque paradoxale, dans l'orateur sublime des *Sermons* [Bossuet], le plus grand poète lyrique de la France[10]». De Brunetière, Camille Roy dit que «son œuvre de critique littéraire [...] fut, malgré ses excès systématiques, la plus substantielle, la plus féconde, la plus chargée de jugements et de doctrines, la plus éloquente et la plus écoutée qu'ait entendue le dix-neuvième siècle[11]». Mais c'est certainement comme historien littéraire que Brunetière laisse les traces les plus profondes sur la pensée du jeune abbé. Il faut noter que l'une des divisions du *Manuel de l'histoire de la littérature française* que Brunetière publia en 1897 s'intitule «La Nationalisation de la littérature[12]».

Un autre professeur influence Camille Roy et peut-être plus profondément encore que Brunetière. C'est Émile Faguet. À la description qu'il fait des leçons de Faguet, à la Sorbonne, on sent la grande fascination qu'il a exercée sur lui:

> L'on sait que si Faguet fut écrivain vivant et excitateur d'esprit, il fut aussi le professeur le plus suggestif, le plus clair, le plus lucide, et souvent le plus amusant qui fût. Je le vois encore arriver à l'heure exacte d'horloge [sic], soit à l'amphithéâtre Richelieu, soit à l'amphithéâtre Descartes où seuls sont admis, pour les cours permis, les étudiants en lettres.
>
> [...]
>
> Sans cérémonie, assez mal habillé, les cheveux en désordre, le regard clair sous un front saillant, la tête légèrement relevée, les mains jointes et agitées, et un petit sourire aux lèvres, quand il avait à lancer quelques paradoxes, Émile Faguet expliquait avec une originalité inépuisable, avec une abondance méthodique, toujours avec bon sens, et parfois avec des trouvailles pittoresques d'expression ses chers classiques: les *Pensées* de Pascal, les *Caractères* de La Bruyère, les *Fables* de La Fontaine, une comédie de Molière, ou *La Princesse de Clèves* de Madame de La Fayette[13].

En plus de s'initier aux nouvelles méthodes de critique et d'histoire littéraires qui apparaissent en France à cette époque, Camille Roy retire de ces années de formation les grands principes qui, dès son retour au pays en 1902, animeront son action littéraire: la primauté de l'Art classique, la fonction sociale de la littérature ainsi que la responsabilité morale des écrivains. Mais sa découverte la plus importante, celle qui va lui permettre de mettre ses principes littéraires en application et lui ouvrir les portes de la réussite, est d'avoir conçu la critique comme un «ministère», selon sa propre expression.

Le dix-septièmiste

Le Grand Siècle avait tout pour plaire à Camille Roy. L'idéal classique, représenté par Racine, Pascal et Bossuet, répond aux attentes à la fois morales et sociales d'une personnalité comme la sienne. Cet idéal de raison, d'équilibre, de discipline et de magnificence semble la traduction dans le domaine littéraire de tout ce en quoi il croyait depuis le collège. Dans cet univers, religion, grandeur et littérature paraissent inséparables. Le beau ne se conçoit pas sans un accompagnement de vérité et tout travail littéraire, s'il doit viser à plaire et à séduire le lecteur, ne saurait se soustraire à sa responsabilité première et fondamentale d'instruire. Dans cette façon d'envisager la pratique littéraire et de lui assigner prioritairement une fonction éthique et éducative, on reconnaît des échos de *L'Art poétique* de Boileau:

> Je ne puis estimer ces dangereux auteurs
> Qui de l'honneur, en vers, infâmes déserteurs,
> Trahissant la vertu sur un papier coupable,
> Aux yeux de leurs lecteurs rendent le vice aimable[14]...

Parlant de Désiré Nisard et de son mépris pour le romantisme, Camille Roy décrit le XVIIe siècle comme le siècle de la perfection, celui qui a le mieux illustré les caractères éternels de l'esprit français:

> Et l'on voit alors que ce qui caractérise l'esprit français, ce n'est pas qu'il soit rêveur ou imaginaire ou palpitant de sensibilité, comme l'esprit des peuples du Nord, mais c'est qu'*il est essentiellement positif, didactique et pratique*[15].

Aux yeux de Camille Roy, deux genres dans l'histoire de la littérature québécoise expriment avec le plus d'évidence les qualités de l'héritage français et les exigences du classicisme. En premier lieu l'histoire, qu'il décrit en 1907 comme «le genre que l'on a cultivé ici avec le plus de succès[16]». Et le second qui, dans l'ordre des préférences personnelles de Camille Roy, surpasse en valeur et en responsabilité tous les autres, c'est, bien sûr, celui de l'essai critique.

Le palmarès des genres

Dans son *Tableau de l'histoire de la littérature canadienne-française,* publié en 1907, Camille Roy dessine, d'une manière impersonnelle mais non moins précise, une hiérarchie des genres qu'il tente d'imposer à l'ensemble du champ. L'espace alloué à chacun des genres constitue ici un indicateur de valeurs très sûr.

Le chapitre le plus important est évidemment celui qu'il consacre à l'histoire. Il compte quinze pages. Viennent ensuite la poésie, «le premier des genres qui aient été cultivés chez nous[17]» avec onze pages et le roman avec six pages. Le théâtre, ce mal-aimé, «de tous les genres celui qui éprouve le plus de difficultés à s'organiser[18]», n'a droit qu'à deux pages. Outre le dernier chapitre, qui est consacré à l'éloquence, deux autres divisions réunissent des productions que l'auteur a visiblement du mal à classer et qu'il coiffe un peu hâtivement de «Philosophie; politique, économie sociale» et de «Contes et récits; littérature; mélanges». La première section compte sept pages, dont une consacrée au journalisme. La seconde reçoit plus d'attention avec ses douze pages. C'est dans cette catégorie un peu fourre-tout que Camille Roy classe, en 1907, la critique littéraire. Il est évident que, pour lui, le genre n'est pas encore véritablement apparu dans la littérature canadienne-française.

La naissance d'un genre

Dans son *Manuel d'histoire de la littérature canadienne de langue française,* Camille Roy affirme qu'avant 1900 la critique littéraire n'existe pas au Québec. À ses prédécesseurs connus, Edmond Lareau et Raymond Casgrain, Camille Roy rend un rapide hommage. De l'*Histoire de la littérature canadienne* de Lareau, il écrit que c'est «un livre touffu, surabondant, qui raconte sans assez d'esprit critique[19]». Par contre, il consacre une assez longue étude à l'abbé Casgrain, soulignant qu'«il fut par-dessus tout une âme ardente et belle[20]». De son travail de critique, il dit qu'«à la vérité, il manquait à l'abbé Casgrain, pour qu'il devînt un critique littéraire au sens strict et complet de ce mot, une science assez étendue de l'histoire des littératures classiques, un certain entraînement dans l'examen et la discussion des textes, une pratique suffisante des doctrines littéraires[21]», toutes qualités que sait posséder Camille Roy et qu'il n'hésite pas à faire valoir. À la parution de son premier recueil d'études littéraires, son ami et collègue de travail au *Bulletin du parler français*, Adjutor Rivard, affirme que «l'apparition de ce livre [*Essais sur la littérature canadienne*] devra faire date dans l'histoire de notre littérature... C'est le premier livre de vraie critique littéraire, de critique éclairée, consciencieuse, sincère[22]».

Roy lui-même ne se lasse pas de le répéter: la véritable critique est née au Québec, grâce à ses travaux. Et le portrait qu'il trace de ce nouveau genre ou plutôt de ce genre auquel il a donné ses lettres de noblesse est éloquent:

> Le ministère de la critique se confond [...] avec celui de l'enseignement; il lui emprunte quelque chose de sa dignité, et, partant, quelque chose de ses responsabilités. Enseigner par la plume est presque aussi beau, et plus redoutable parce que plus durable qu'enseigner par la parole[23].

Si toute la littérature produite avant 1900, et non seulement la critique, lui paraît être l'œuvre d'«amateurs», «de gens qui ne s'occupent qu'en passant, par accident, et par goût personnel, des choses de la littérature[24]», il n'hésite pas, au moment de la publication de ses premiers ouvrages, à revendiquer pour lui un statut professionnel. Dans un texte intitulé «Notre critique littéraire» qu'il présente dans une des nombreuses rééditions de son *Manuel*, il décrit la critique littéraire comme «une doctrine touchant la critique que l'auteur s'est efforcé de pratiquer[25]», comme un «ministère de vérité»: «C'est la conviction que la critique littéraire peut et doit être un ministère de vérité, qui nous a fait entreprendre l'œuvre dont nous réunissons ici les premières pages[26].»

Le fait de la parole autorisée

Pour véritablement acquérir cette légitimité qu'il invoque avant même de l'avoir obtenue, Camille Roy doit en quelque sorte se soumettre au jugement légitimant de ceux, institutions ou agents, qui possèdent le pouvoir de le consacrer critique. Cette reconnaissance, pour satisfaire aux ambitions du jeune abbé, doit être double, c'est-à-dire venir à la fois du milieu de l'enseignement et du milieu des revues. Pour Camille Roy — on a vu comment il a hâtivement liquidé toute dette de reconnaissance ou de succession le liant aux travaux de ses devanciers — le champ de la critique était vierge. Tout était à faire. Il n'avait besoin que de se faire reconnaître le droit de penser et d'organiser le destin de la critique littéraire au Québec.

Déjà investi d'un grand prestige intellectuel comme professeur, plus précisément comme titulaire de la chaire de rhétorique au Séminaire de Québec, prestige accru par son séjour d'études à Paris, Camille Roy réussit très rapidement à acquérir la position d'autorité qu'il désire. À son retour d'Europe, il ne tarde pas à se faire connaître en publiant des articles dans la *Nouvelle-France* d'abord, puis dans le *Bulletin du parler français* dont il est l'un des directeurs-fondateurs. Cette même année 1902, il rédige un livre-souvenir: *L'Université Laval et les Fêtes du cinquantenaire*[27]. En outre, il participe aux séries de conférences publiques que l'Université Laval organise en 1901 et 1902, ce qui lui permet d'élargir son auditoire. Les textes de ces conférences sont aussi, bien entendu, publiés.

Cette très grande habileté à investir des lieux différents et à maîtriser diverses formes d'intervention permet à Camille Roy de susciter des initiatives tout en ayant l'air de répondre à des demandes de l'extérieur. Occuper des positions stratégiques dans l'enseignement, au sein d'associations ou de comités de rédaction, le situe souvent aux deux bouts de la «chaîne de production» intellectuelle, ce qui crée autour de son nom et de sa personne une très grande circularité institutionnelle. Par exemple, dans l'avant-propos dédié «aux étudiants» qui ouvre son *Tableau de l'histoire de la littérature canadienne-française,* il explique que l'ouvrage est né d'une commande:

> Au mois de juin 1906, pendant la session du Congrès de l'enseignement secondaire, tenu à l'Université Laval de Québec, on a inscrit la littérature canadienne au programme des examens du

baccalauréat et cet article des nouveaux règlements doit prendre effet cette année même.

On ne peut que se réjouir de cette innovation qui tend à nationaliser davantage, et dans une mesure convenable, notre enseignement secondaire. Seulement, il faut avouer que les instruments suffisants vont manquer aux ouvriers de cette nationalisation[28].

Quelques paragraphes plus loin, déplorant l'absence d'un manuel d'histoire littéraire, il écrit: «On a bien voulu nous inviter à le faire [ce manuel], et à le publier le plus tôt possible.» Nous reconnaissons là la manière caractéristique de Camille Roy. Tout au départ de cette vaste campagne de «nationalisation» lancée par sa conférence de 1904, on le retrouve animant le Congrès dont il est question et proposant l'adoption de cette résolution qui aboutit à la «commande» de ce pré-manuel. Précisons que le petit ouvrage, qui ne prétend que «signaler au lecteur les principales œuvres nationales, celles qui ont le plus de valeur[29]», a joui d'un succès considérable et d'une très large diffusion. Si l'on en croit les chiffres fournis par le frère Ludovic dans sa *Bio-bibliographie de Mgr Camille Roy*[30], le *Tableau* connaît deux tirages, le premier (1907) de 1 000 exemplaires, le second (1911) de 5 000 exemplaires. C'est par lui que, jusqu'en 1918, c'est-à-dire jusqu'à la parution du *Manuel d'histoire de la littérature canadienne-française*[31], la littérature nationale fait son entrée dans les collèges classiques du Québec et dans plusieurs institutions de l'enseignement public.

On trouve un autre exemple de la façon de procéder de Camille Roy — façon de procéder qui accorde à ses premières publications toutes les marques d'une reconnaissance institutionnelle — dans un long article publié en janvier 1904 et qui constitue en fait le premier état de *Nos origines littéraires*. Le texte s'intitule «Étude sur l'histoire de la littérature canadienne[32]». Dès les premières lignes, on apprend que c'est à la demande «des directeurs du *Bulletin de la Société du Parler français au Canada*» qu'il entreprend ce travail, alors que l'abbé Roy fait partie du premier bureau de direction de la Société[33], même s'il n'est pas du premier «Comité du *Bulletin*[34]».

Un exemple de contiguïté des champs

Le texte en question a un autre intérêt, plus capital celui-là, qui est de dévoiler la contiguïté des champs littéraire et linguistique à cette époque, et le rôle d'«agent double» — si l'on veut bien me pardonner la maladresse de l'expression — que Camille Roy y a joué. Voyons comment l'auteur décrit le passage de l'un à l'autre:

> Les directeurs du *Bulletin de la Société du Parler français au Canada* ont pensé qu'ils pouvaient, sans trop violenter le cadre de leur programme, y introduire quelques études sur l'histoire de la littérature canadienne. *L'histoire du parler et l'histoire de la littérature ont,* paraît-il, *de secrètes liaisons,* et il pourrait être intéressant, en même temps qu'on signale les transformations de l'une, de faire voir les origines et les développements de l'autre[35].

Plus loin, Roy tente de préciser la nature de ces «secrètes liaisons»:

> Quelques'uns de nos livres, et de ceux que nous estimons davantage, ne laissent pas parfois de prouver eux-mêmes combien peu nous connaissons les ressources de notre langue, combien peu nous avons le sentiment de la propriété des termes, et combien restreint est le nombre de vocables qu'ici nous maintenons dans [*sic*] la circulation.

> D'où il suit qu'une étude attentive de notre littérature peut contribuer de quelque façon à retracer l'histoire de notre langue et à montrer de celle-ci les qualités et les défauts[36].

Comparant «nos lettrés canadiens» au «lettré français» qui, lui, «écrit à peu près la langue qu'il parle», il juge leur conversation «entachée de solécismes et embarrassée de constructions lourdes ou vicieuses[37]».

La position de Camille Roy semble donc épouser de très près la position générale de la Société du parler français qui a été à la fois célébrante et justificatrice. Les nombreuses attaques dont la langue française au Canada était l'objet constituaient, à n'en pas douter, un refoulé autant littéraire que linguistique. On peut s'étonner par exemple que, nulle part, Camille Roy ne fasse allusion à l'ouvrage de

Virgile Rossel, paru en 1895, et aux pages que l'historien jurassien a consacrées à la littérature du Québec. Les propos que Rossel tenait sur la langue y sont sans doute pour quelque chose:

> La vérité toute nue est que la langue s'est corrompue et s'est appauvrie. Si les écrivains de valeur se piquent de respecter les traditions d'un français correct et limpide, il apparaît bientôt à tout lecteur impartial que l'indigence relative du vocabulaire — le foisonnement des provincialismes n'est pas une compensation —, l'impropriété des termes, une syntaxe embarrassée et hésitante, l'abus de tours et d'expressions archaïques, l'absence de ce parfum d'atticisme, de cette fleur de raffinement qui font le charme d'une œuvre littéraire, *l'impuissance ou l'insouciance de devenir un artiste en devenant un auteur,* pèsent lourdement sur le style des hommes de lettres canadiens[38].

Si Camille Roy semble ignorer l'existence de l'*Histoire* de Rossel[39] et ne pas vraiment s'intéresser aux autres littératures de langue française, il n'en partage pas moins l'appréciation générale et parfois jusqu'au vocabulaire de son collègue européen. «L'impuissance ou l'insouciance de devenir artiste en devenant un auteur» devient sous la plume de Camille Roy: «dans ce pays où les œuvres sont en général plus correctes qu'artistiques[40]». Pour le critique québécois, l'obstacle majeur à l'épanouissement littéraire du Québec est d'ordre linguistique:

> Notre vocabulaire, qui est bien un élément indispensable à l'écrivain, et qui lui permet d'exécuter mieux et plus facilement son œuvre selon qu'il est plus ou moins riche de mots, notre vocabulaire s'est appauvri. Et qu'un tel accident lui soit arrivé, il suffirait de lire quelques-uns des meilleurs ouvrages de notre littérature pour s'en convaincre; il suffirait surtout d'écouter la conversation ou le discours de la plupart de nos hommes instruits pour n'en plus douter. Nous n'avons guère à notre disposition qu'un petit nombre de vocables, et nous tournons sans cesse dans le même cercle d'expressions plus ou moins justes, plus ou moins exactement adaptées à la pensée[41].

Toujours à propos de l'état de la langue au Québec, Camille Roy, commentant l'émoi causé dans certains milieux par un article de Pierre de Labriolle déjà évoqué, laisse échapper une anecdote qui en dit long sur sa propre appréciation:

Ce qui [...] est également certain, c'est qu'un grand nombre d'Anglais du Canada et des États-Unis s'imaginent volontiers que le *Canadian French* est une langue et que le *real French as spoken in France* en est une autre. Nous nous souvenons qu'un riche commerçant anglais de Montréal, avec qui nous faisions la traversée de l'Océan il y a deux ans, annonçait à ses auditeurs, pendant le concert de charité que l'on donne sur mer au profit des orphelins et des veuves de marins, qu'un de mes compatriotes québecquois allait chanter une chanson *in the Canadian patois.* D'autres compagnons anglais de voyage demandaient fort ingénument si vraiment nous, Canadiens, nous parlions le français de France.

M. de Labriolle n'a donc que constaté des faits, et il y aurait mauvaise grâce à lui reprocher d'employer cette méthode dans une étude, d'ailleurs assez sommaire, qu'il a voulu faire de notre langue[42].

Quelques années plus tard, dans un article qui entend faire le point sur les rapports qu'entretiennent «notre langue et notre littérature», il évoque à nouveau le sentiment de mépris dans lequel on tient le français du Canada:

N'y a-t-il pas encore des peuples que l'on croit n'être pas barbares, puisqu'ils vivent autour de nos Grands Lacs, et qui ignorent que notre parler soit celui de France, et qui croient que nous nous servons, pour truchement de nos naïves pensées, d'un patois laurentien, inconnu encore des lexicographes, et qu'ils ont dénommé le *Canadian patois*[43]?

Le français des villes et le français des champs

Épousant l'approche défensive de la Société du parler français au Canada, Camille Roy soutient qu'il est faux de chercher à rendre compte d'un seul type de pratiques linguistiques. Il en existe deux et très distinctes: le langage des campagnes et le langage des villes. Le premier est l'héritier en ligne directe de la langue des premiers colons. Il a la pureté et l'éloquence naturelles du Grand Siècle.

Le second, celui des villes, est corrompu, truffé d'anglicismes. C'est celui qui est l'objet de dérision:

> Loin de moi la pensée d'insinuer que notre langue française du
> Canada, notre langue populaire, est de qualité inférieure, et
> qu'elle mérite la dédaigneuse pitié dont l'accablent certains
> voisins ignares. J'affirmerais plutôt que nos gens du peuple, dans
> l'ensemble de nos paroisses rurales, parlent un français meilleur
> que celui que l'on entend dans maintes provinces de France. Ce
> n'est pas la langue populaire qui a le plus pâti de l'insuffisance de
> nos moyens de développement français, c'est plutôt notre langue
> littéraire, la langue de nos gens instruits; c'est elle qui, en géné-
> ral, s'est quelque peu alourdie, qui manque de vocables et qui a
> laissé se nouer les articulations de la phrase; c'est donc à elle
> surtout qu'une littérature canadienne laborieuse peut être utile[44].

C'est donc, pour Camille Roy et ceux qui partagent ses vues et ses intérêts, seulement à partir de cette langue rurale porteuse des traditions du Grand Siècle qu'une littérature canadienne d'esprit véritablement français pourra se développer au Canada. L'association langue urbaine/langue corrompue joue, comme nous le verrons dans le chapitre suivant, un rôle de premier plan dans les luttes de légitimité que se livrent «exotiques» et «terroiristes», Montréal et Québec.

L'année précédant le prononcé de la conférence sur la «nationalisation de la littérature canadienne», le *Bulletin* publie un court texte intitulé «La langue française à l'étranger». Il s'agit d'un compte rendu, non signé mais qu'il est facile d'attribuer à Camille Roy, d'un article publié par Émile Faguet dans *Le Gaulois* et consacré à la discussion des *Fautes de français* à l'étranger. Connaissant le grand respect que Camille Roy portait à celui qui avait été son maître à la Sorbonne, on devine l'influence que ce texte a pu avoir sur l'auteur des *Essais*. L'importance des considérations à la fois linguistiques et littéraires de ce compte rendu, qui se trouve sans le savoir à cautionner une position en voie de constitution, incite à le citer intégralement:

> M. Émile Faguet a consacré un article, publié dans le *Gaulois,* à
> la discussion des *Fautes de français* à l'étranger. Après avoir
> relevé un certain nombre de locutions belges, qu'on signale
> comme des fautes mais qui lui semblent autorisées par le «bon
> usage» de France, l'éminent critique conclut par des considéra-
> tions d'un ordre général qui peuvent servir d'orientation aux écri-
> vains canadiens-français. Il veut que les étrangers qui parlent
> français, Suisses, Belges, Canadiens, se persuadent bien:

1° Que la langue qu'ils parlent, comme toutes les langues *excentriques,* c'est-à-dire éloignées du centre, a toutes les chances du monde d'être *excellente,* parce qu'elle se compose d'archaïsmes. Tel le français de Genève et de Lausanne, tel le français du Canada. Qu'ils ne se défient donc pas trop de leurs provincialismes, de leurs «étudier pour être prêtre», etc. Qu'ils les *vérifient* seulement avec soin dans les auteurs français de la bonne époque;

2° Qu'ils se persuadent que tout ce qui est du dix-septième siècle, fut-il tombé en désuétude, est excellent, est français de bonne souche et de bon aloi et irrépréhensible;

3° Que ce qui est du dix-huitième siècle est toujours douteux, excepté quand c'est d'un homme qui évidemment ne veut parler que la langue du dix-septième siècle, comme Voltaire;

4° Que ce qui est du dix-neuvième siècle n'a aucune autorité de soi, et doit toujours être vérifié par un retour et une référence au dix-septième siècle, *quelque grand que soit le nom* de l'auteur du dix-neuvième siècle que l'on prend pour autorité;

5° Et qu'enfin la plus mauvaise langue de France, avec ses «partir à Rouen», «malgré que je tousse», «sortir son chien» et «nous deux ma femme», est la langue qu'on parle à Paris[45].

Aux yeux des principaux agents du champ littéraire québécois, conscients du statut inférieur du français en Amérique, le XVIIe siècle constitue, cela est sûr, une importante valeur refuge. Pour un peuple dont la langue est sans cesse accusée d'incorrection et d'archaïsme, la référence répétée à la «langue de Bossuet» est éminemment révélatrice. L'invocation d'une fidélité maintenue à la langue classique permet d'en revendiquer les grands caractères — unanimement reconnus — ceux de pureté, de grandeur, de perfection. De plus, à un peuple qui vit depuis la Conquête dans le précaire et le provisoire, la référence au XVIIe siècle apporte l'illusion de la permanence, de l'ordre immuable parce que parfait, enfin de la «valeur» éternelle s'élevant bien au-dessus de toutes les tribulations historiques.

Le recours au Grand Siècle, pour le Québec de cette époque, repose beaucoup plus sur des considérations éthiques que sur des considérations esthétiques. Ce ne sera pas sans conséquences pour la littérature. Si le parler des «Canadiens» trouve sa justification et sa fierté dans le prolongement des traditions du siècle de Louis XIV, leur littérature pourrait elle aussi, «sans risquer de perdre son originalité», puiser dans «la substantifique moelle des auteurs classiques[46]». Ce conseil donné par Camille Roy présuppose une faiblesse de la production littéraire québécoise. On ne peut s'empêcher de songer à la formule de Barthes qui veut qu'«il n'y [ait] pas de Littérature sans une morale du langage[47]».

L'anti-célébrant

À la lecture des écrits de Camille Roy parus avant 1914, une constatation s'impose. L'ensemble mime parfaitement les contours du discours critique tout en laissant comme un vide interrogatif derrière lui. Tout, apparemment, y est: les énoncés performatifs, les classements, les regroupements, la périodisation, les jugements. Tout parle de littérature, de livre, d'auteur, de genre littéraire, mais quelque chose accroche, achoppe, résiste. Le vocabulaire utilisé surprend. Il n'est pas conforme au vocabulaire que l'on rencontre habituellement sous la plume d'un critique ou d'un historien de la littérature. Écart lexical étonnant chez un auteur considéré comme «le critique national du Canada français[48]». Les auteurs que l'on croise dans les pages de Camille Roy sont rarement des écrivains, encore moins des artistes. Ce sont des amateurs, d'humbles «ouvriers de notre littérature» ou encore de vaillants «travailleurs de la plume»; le plus souvent des «versificateurs», rarement des «poètes». Commentant le renouveau critique des années 1900 et le rôle de premier plan joué par Camille Roy et Adjutor Rivard, Émile Chartier écrit: «Dans les appréciations de nos juges littéraires, on constate une plus grande indulgence à l'égard de nos *apprentis-écrivains*[49].»

La définition de Claude Lafarge qui veut que «la critique savante traduise [...] un propos qui se laisse réduire quelle que soit sa pertinence, à *une mise en demeure d'admirer*[50]» est inapplicable à la critique de Camille Roy et de ses collègues du *Bulletin du parler français*. Ici rien d'admirable, du moins rien qui ne soit proposé à l'admiration des lecteurs. Lors de la remise des grands prix littéraires décernés par la Société du parler français au Canada, à l'occasion du Premier Congrès de la langue française au Canada, Camille Roy s'adresse en ces termes aux lauréats et à l'ensemble des écrivains québécois:

> Nous croyons que nos auteurs canadiens, que tous ceux qui peinent pour faire plus belle, plus artistique, plus digne de l'esprit de notre race, la littérature canadienne-française, ne sauraient être trop dédommagés d'un *obscur et pénible* travail; nous souhaitons que demain s'ouvre l'âge d'or de la littérature canadienne[51].

Ailleurs, Camille Roy écrit que «vouloir [...] que nos écrivains s'élèvent tout d'un coup jusqu'au niveau des meilleurs écrivains français, c'est simplement chimère; et attendre pour les lire et les encourager qu'ils aient réalisé cet idéal, c'est antipatriotique[52]».

Comme l'observe Lucie Robert dans son analyse du *Manuel* de Camille Roy, «les deux notions clés de l'histoire littéraire («génie» et «chef-d'œuvre») sont [...] absentes[53]» de ses écrits sur la littérature canadienne. Seule, à ses yeux, la littérature française présente ce degré de perfection qui force l'admiration. C'est à l'aulne de cette grande littérature, la plus grande selon Camille Roy, qu'il juge la production québécoise. Dans une étude consacrée à «l'essai sur la littérature», Paul Wyczynski fait la même observation: «En étudiant les auteurs canadiens-français, [Camille Roy] pense toujours à la littérature française[54].» En voici quelques exemples tirés de son manifeste sur la «Nationalisation de la littérature canadienne»:

> Laissons-les [«nos écrivains canadiens»] assez volontiers demander aux écrivains de France quelques conseils sur l'art d'écrire et de composer un livre [...][55].

> [...] nous avons tout à gagner en demandant à la France de nous livrer le secret de son art merveilleux [...][56].

> [...] et parce que la littérature française qui nous vient de Paris est d'ordinaire plus parfaite en ses formes et plus attrayante et plus substantielle que celle qui nous vient de Québec et de Montréal, nous lisons plutôt celle-là que celle-ci[57]...

> [...] il ne faudrait pas non plus pousser trop loin cette critique jusqu'à oublier que nos livres canadiens, *surtout quand ils sont bien faits,* ressembleront toujours étonnamment à des livres français[58].

L'imperfection, la pauvreté linguistique semblent, dans l'approche discursive de l'abbé Roy, des caractères constitutifs de la littérature québécoise, car «il est certain que les écrivains ne peuvent échapper à l'influence des temps où ils vivent, que les œuvres doivent porter elles-mêmes quelque empreinte de cette influence[59]».

Cette faiblesse, ce manque d'élégance et d'assurance de la littérature ne sont que le reflet de la faiblesse, du manque d'élégance et d'assurance des pratiques linguistiques: «Faisons cette littérature aussi nationale que possible [...] et elle montrera que notre parler n'est pas celui des colons barbares, mais qu'il est plein des harmonies de la plus belle langue du monde[60].» Le discours critique de Camille Roy fait songer à une politique d'aménagement de la défaite. C'est d'ailleurs en ces termes qu'il salue la naissance de la littérature québécoise: «Ainsi, *les vaincus de 1760,* inconsciemment peut-être, mais sûrement, préparaient les conditions d'existence dans lesquelles apparaissaient déjà les premiers essais de littérature canadienne[61].»

Curieusement, cette situation défavorable au plein épanouissement de la poésie, du roman et du théâtre sera bénéfique à ce «genre très discret et [naguère] assez inoccupé qui va bénéficier du travail et de la faveur de l'histoire elle-même [...] pour se hausser jusqu'à la dignité des grands genres[62]»:

> [...] la critique, dans les époques de transition, tient lieu fort bien de tout ce qui n'est plus, de ce qui n'est pas encore. La critique alors, c'est tout le poème, c'est tout le drame... Voilà comment, à de certaines époques, vous voyez le métier de critique, métier secondaire en apparence, s'élever au plus haut point de gloire, de puissance, d'estime et d'utilité[63].

Le propos n'est pas de Camille Roy ni de son épigone l'abbé Émile Chartier, mais il résume parfaitement à la fois la pensée et la trajectoire de l'un des critiques les plus influents que la littérature québécoise ait connus. Plus que jamais avec Camille Roy, la critique peut être définie comme «la littérature de la littérature» selon l'expression de Benjamin Crémieux, et même comme la seule «littérature» lorsque l'on a, comme il l'a fait, dans les entre-lignes de son discours, disqualifié l'autre, sans doute pour mieux s'assurer de la sauver. Tel est le «ministère» rédempteur de la critique qui accueillera la première «avant-garde» littéraire québécoise.

CHAPITRE V

Avant-garde et régionalisme:
la guerre des appartenances

Comme un poète-berger au cœur sentimental,
J'aspirais leur prière en l'arôme des roses

ÉMILE NELLIGAN

Les modernes, presque tous, surtout ceux à qui vont les faveurs
de la mode et les caresses de la vogue, sont de mauvais bergers.

L'ABBÉ NARCISSE DEGAGNÉ
au Premier Congrès de la langue française au Canada.

À l'origine du renouveau littéraire qui se manifeste au Québec dans les premières années du XXᵉ siècle, Camille Roy voit la création de deux «groupements de travailleurs intellectuels[1]»: l'École littéraire de Montréal et la Société du parler français au Canada. De la seconde, il écrit:

> Aucune institution n'a autant contribué à faire mieux estimer notre langue, nos traditions et notre littérature. Par sa revue mensuelle, *le Parler français* [...], elle a rappelé sans cesse, elle aussi, vers nos œuvres canadiennes l'attention du public, elle a stimulé le travail des écrivains; elle a mis en faveur ce que l'on a appelé, vers 1904, la «nationalisation» de notre littérature[2].

Si l'histoire littéraire, après Camille Roy, continue d'associer, à travers la figure d'Émile Nelligan, l'effervescence littéraire du début du siècle à l'apparition de l'École littéraire de Montréal en 1895, la Société du parler français au Canada ne reçoit plus, quant à elle, que l'attention des spécialistes en études linguistiques. L'oubli est grave car il risque de fausser la compréhension de la dynamique littéraire de l'époque. D'ailleurs, si l'on ne retient de ce début de siècle que l'action de l'École littéraire de Montréal, il devient difficile d'expliquer la conversion esthétique qu'elle affiche en 1909. Bref, sur la question, il faut donner raison à Camille Roy.

La prise en considération du rôle littéraire de la Société est d'autant plus nécessaire qu'elle permet, en grande partie, de retracer le processus d'établissement de la domination qu'a exercée sur le champ pendant près d'un demi-siècle le courant régionaliste et, par voie de conséquence, de comprendre le quasi-silence qui, jusqu'à tout récemment[3], a entouré l'œuvre des premiers écrivains modernistes du Québec. Ce groupe de jeunes esthètes dont Marcel Dugas se fera l'apologiste[4] constitue un troisième pôle d'attraction de la période. Ce n'est donc pas de deux grandes «associations d'esprits», selon l'expression même de Camille Roy, qu'il faut parler, mais de trois qui connaissent chacune, à tour de rôle, leur année de grâce: 1899 pour l'École littéraire première manière, 1910 pour le «groupe des artistes» selon l'expression de Camille Roy, et 1912 pour la Société du parler français au Canada. À l'origine de ces regroupements d'auteurs, on retrouve une intention commune: imposer la définition légitime du français littéraire au Québec. Nous allons maintenant examiner les diverses stratégies mises en œuvre par chacun d'eux.

Naissance de l'École littéraire de Montréal

Les circonstances entourant la fondation de l'École littéraire de Montréal sont connues. Elles ont été relatées par l'un des co-fondateurs, Jean Charbonneau, dans un ouvrage empruntant son titre au nom de l'institution. De ce récit, on se rappelle généralement le grand besoin de liberté et de nouveauté qui animait quelques jeunes poètes en cette fin de siècle: «jeunesse enthousiaste [...] hantée par le désir du renversement des anciennes valeurs» comme l'écrit Jean Charbonneau en 1935. On retient moins facilement cependant, sans doute parce que moins directement littéraire, le récit de l'anecdote-fondatrice:

> En l'année 1895, par un soir de novembre, Jean Charbonneau et Paul de Martigny, alors étudiants en droit, assistaient, par hasard, à un banquet politique au «St. Lawrence Hall», à Montréal, où devaient parler des tribuns renommés de l'époque.
>
> Ils se trouvaient dans un milieu qu'ils n'avaient guère l'habitude de fréquenter, parce que, comme tous leurs congénères en littéra-

ture, ils s'étaient toujours éloignés de la chose publique; mais, avec une parfaite dignité, ils écoutèrent, durant trois ou quatre heures, d'interminables discours assaisonnés de «canadianismes», d'anglicismes et de lieux communs.

[...]

Or, comme apparemment ces fraternelles agapes paraissaient devoir se prolonger d'une façon inquiétante, ils résolurent de s'enfuir discrètement et d'aller se communiquer ailleurs leurs impressions sur la façon dont on parlait la langue française dans notre Province. (1935, p. 23-26.)

Au Café Ayotte, lieu de rencontre habituel des jeunes littérateurs de l'époque — là où, comme le dit Jean Charbonneau, on «fulminait contre l'état lamentable de notre littérature» — Paul de Martigny et Jean Charbonneau fulminent, cette fois contre l'état lamentable du français au Québec, et réfléchissent aux conséquences littéraires de cette situation. Ils décident donc d'agir:

«L'heure n'a-t-elle pas sonné où il faudrait tenter un ralliement des intelligences, des bonnes volontés, de les grouper solidement et de leur imposer la tâche — en dépit des défaitistes et des éteigneurs d'étoiles — de travailler à sauver notre langue française du marasme où elle est malheureusement plongée?» De cet entretien était née l'École littéraire de Montréal. (1935, p. 26.)

Le texte cité parle de lui-même. Il n'a guère besoin d'être longuement pressé pour livrer son motif central: les liens entre la situation linguistique du Québec et les projets littéraires. Quelques remarques périphériques s'imposent tout de même. Ces jeunes littérateurs — parmi lesquels on retrouve Germain Beaulieu, Jean Charbonneau, Louvigny de Montigny, Paul de Martigny, Joseph Melançon, Henri Desjardins, Georges-W. Dumont, Albert Ferland et E.-Z. Massicotte —, que le narrateur dit «éloignés de la chose publique», se réunissent autour de la question la plus politique de leur société. Leur point de vue se veut exclusivement littéraire, lié à l'art pur; mais ne serait-ce que par cette volonté «de travailler à sauver [la] langue française du marasme où elle est malheureusement plongée», l'intervention acquiert une dimension politique. D'ailleurs quelques pages plus loin, Jean Charbonneau décrit la génération de 1895 comme «une génération qui se sentait confiante en l'avenir et qui proclamait hautement ses droits à la défense de la langue française en ce pays» (1935, p. 29).

L'école des «jeunes barbares»

Dans son évocation des débuts de l'École, évocation tardive il faut le préciser, Jean Charbonneau présente un portrait retouché des faits. Par exemple, à propos de la prise de conscience linguistique qui a incité les fondateurs à se regrouper, le récit gomme toute référence au sentiment de leurs propres difficultés d'expression. Une allusion discrète faite à la page quarante-neuf du livre nous met toutefois la puce à l'oreille. Il s'agit d'un commentaire de presse que Charbonneau cite évidemment en raison de son caractère élogieux, mais qui révèle tout le non-dit du discours: «À dater d'aujourd'hui [30 décembre 1898], grâce à l'École littéraire, les «jeunes barbares» que Buies a fouaillés sont morts. De leur cendre est sortie une pléiade d'artistes convaincus et consciencieux.» (1935, p. 49.)

On se souviendra qu'en 1892, donc trois ans avant la fondation de l'École, le chroniqueur Arthur Buies avait publié, sous le double titre *Réminiscences. — Les jeunes barbares,* une violente charge contre l'ignorance des jeunes gens qui publiaient alors leurs premiers textes dans les journaux. Il proposait même, devant l'état alarmant de la situation, un arrêt de la production pour permettre à la relève de faire ses classes, d'effectuer un nécessaire apprentissage de sa langue.

Il serait périlleux d'affirmer que les propos de Buies ont provoqué la création de l'École littéraire de Montréal, mais il est certain qu'ils n'y ont pas été étrangers. Le fait que l'un des buts principaux, sinon le but principal, de l'École était d'assurer la formation linguistique et littéraire de ses membres incite à le croire. L'organigramme de départ, tel que divulgué par *La Presse,* le samedi 23 novembre 1895[5], comprend d'ailleurs un comité de critique, chargé de réviser les travaux des jeunes littérateurs. Le nom du regroupement — école — doit ici être pris dans son sens premier. Au Premier Congrès de la langue française, Camille Roy résumait ainsi la présentation que Léon Lorrain, journaliste au *Devoir,* avait faite de l'École littéraire de Montréal: «Le but de l'École est de travailler à la conservation de la langue et au développement de notre littérature nationale. Son moyen d'action est la critique mutuelle. C'est une École au vrai sens du mot: on s'y efforce d'apprendre.»

En plus de lire et de corriger leurs propres textes, les membres de l'École s'adonnent aussi, non pas à constituer un dictionnaire comme les membres de la Société du parler français au Canada s'y emploieront dès 1903, mais bien à le lire. Évoquant le programme chargé de l'année 1898, Jean Charbonneau écrit que «le 14 décembre, — pour ne pas perdre de temps, — on propose la lecture de dix pages du dictionnaire par semaine, dans le but d'initier les membres de l'École aux secrets de la philologie et d'augmenter ainsi le bagage restreint de leurs connaissances» (1935, p. 47).

Il est aussi intéressant de connaître les références littéraires du groupe, les écrivains qui servaient de phares:

> Notre bibliothèque se composait de quelques bouquins préférés acquis au prix de nombreux sacrifices. Guy de Maupassant côtoyait Alphonse Daudet et Flaubert, Bourget, Balzac, Baudelaire, Leconte de Lisle, Verlaine, et Victor Hugo, le dieu, y trônaient solennellement. (1935, p. 33.)

De cette toute première bibliothèque de l'École littéraire de Montréal, Charbonneau ne cite le nom d'aucun écrivain québécois[6]. La «route tourmentée de l'Idéal divin», selon l'expression de Jean Charbonneau, mène, à cette époque, inexorablement vers Paris. Pourtant quelques indices çà et là signalent l'amorce de la construction d'une «référentialité» québécoise. À la séance du 29 avril 1898, les membres de l'École littéraire nomment le poète et dramaturge Louis Fréchette président d'honneur. Le choix est judicieux. La renommée de Fréchette, honoré par l'Académie française, ne peut que rejaillir sur les jeunes littérateurs et accroître la crédibilité de leur action. Pour ce qui est du capital symbolique, le placement est bon et il ne sera pas long à rapporter. Quelques mois à peine après son élection à la présidence d'honneur, la participation de Louis Fréchette à la première séance publique organisée par l'École littéraire assure à celle-ci une assistance nombreuse et le succès:

> L'auteur de la *Légende d'un Peuple* portait à cette époque, le nom plein de responsabilité de «poète national» et l'on peut comprendre la curiosité du public à venir entendre lire un drame romantique: *Veronica*. [...] Ce fut, en tout cas, la consécration de l'École. Le lendemain, la presse sans restriction ne lui ménagea pas les louanges et les encouragements. (1935, p. 48.)

Il n'est peut-être pas inutile de rappeler que les positions linguistiques de Louis Fréchette étaient à l'époque très connues. Ses séries de chroniques journalistiques sur la langue dans *La Patrie* l'avaient fait apparaître aux yeux d'un large public comme un ardent défenseur du français. Sur le plan littéraire, comme sur le plan linguistique, la présence de Fréchette conférait à l'École des «jeunes barbares» des garanties de qualité et de compétence incontestables.

Une nouvelle «Alliance française»

Les membres de l'École littéraire de Montréal emploient donc les trois premières années qui suivent la fondation à parfaire leurs connaissances en matière de langue et de littérature. «Apprendre à écrire et à parler en français en l'an mil neuf cent, comme à toutes les époques de notre existence nationale, telle devait être notre journalière ambition», écrit encore Charbonneau. On retrouve, dans le premier article de la Constitution que se donne l'École littéraire de Montréal, l'énoncé de cet objectif:

> L'École littéraire a pour principale fonction de travailler avec tout le soin et toute la diligence possibles à la conservation de la langue française, et au développement de notre littérature nationale[7].

Aussi n'est-on pas étonné d'apprendre que l'une des deux grandes institutions françaises qui ont inspiré la constitution et l'action de l'École littéraire de Montréal est l'Alliance française. Jean Charbonneau écrit: «Nous rêvions de continuer ces séries de conférences [il évoque les séances publiques tenues au cours des années 1898-1899] et de créer ainsi ce milieu où nous aurions joué le rôle que joue actuellement l'Alliance française en notre province.» (1935, p. 52.)

Fondée officiellement à Paris en mars 1884[8], l'Alliance française se définit comme une «Association Nationale pour la propagation de la langue française dans les colonies et à l'étranger». La littérature y tient une grande place. C'est dans le cadre des activités de l'Alliance française que plusieurs conférences sur la littérature québécoise — dont quelques-unes signées par Charles ab der Halden — sont présentées à Paris. Dans les années qui suivent sa création, l'Alliance française connaît un développement très rapide. Son *Bulletin,* lancé le mois suivant sa fondation, témoigne de son importance et de son rayonnement à travers le monde.

Au moment où les premiers membres de l'École littéraire de Montréal se réunissent dans «la mansarde de Louvigny de Montigny, un ample grenier de la demeure de Testard de Montigny, Montée du Zouave[9]», l'Alliance française n'est pas encore véritablement implantée au Québec. Un délégué a bien été nommé à Montréal en 1885 et, deux ans plus tard, une seconde délégation a été confiée à Louis Fréchette, mais le premier comité provisoire ne voit le jour à Montréal qu'en 1899. Il faut attendre encore trois ans pour que le comité soit officiellement créé[10]. Curieusement, cette même année, à Québec cette fois, naît un autre organisme voué à la défense de la langue: la Société du parler français au Canada.

Le grand rêve d'une Académie

À plusieurs moments de son histoire littéraire, le Québec a voulu se doter d'une Académie. La première tentative remonte à 1778. Elle est l'œuvre d'un groupe d'écrivains réunis autour de Fleury Mesplet et de sa *Gazette du Commerce et littéraire,* qui s'inquiètent, selon leur expression, de «devenir savants[11]». Voltairienne dans un milieu qui ne l'était pas, l'Académie de Montréal ne put survivre aux nombreuses attaques dont elle fut l'objet. Mais l'idée va resurgir et plus d'une fois. Dans un article intitulé «La presse québécoise et sa (ses) littérature(s): 1900-1930[12]», Annette Hayward parle, à propos du début du siècle, de «l'obsession d'une Académie française au Québec [qui] refait surface». Pour une société écartée du pouvoir politique, toujours incertaine de son avenir linguistique, ce rêve — et le fait que ce rêve ait été réitéré — est très révélateur. Il indique, cela est évident, une dépendance marquée à l'égard des institutions littéraires françaises, une fascination pour le Grand Siècle, en même temps qu'il témoigne d'un grand besoin de stabilité, de permanence, du besoin surtout de doter sa langue d'un prestige qui lui est refusé sur le continent.

Au demeurant, le modèle à l'origine de la création de l'École littéraire de Montréal, Jean Charbonneau l'avoue clairement, c'est l'Académie française:

> On convint sur place de lancer des invitations à tous les hommes
> de plumes connus et inconnus du public, les conviant à une sorte
> de banquet spirituel — qu'on nous pardonne cette expression
> prétentieuse — où l'on parviendrait, par des arguments irrésis-
> tibles, à les convaincre de la nécessité de créer un groupe litté-
> raire comparable tout au moins — excusez du peu — à l'illustre
> Académie française. (1935, p. 27.)

L'idée refait surface au moment du schisme que connaît l'École
en 1910. Pour se démarquer du groupe dissident, une dizaine de
membres décident de changer le nom de l'institution. «L'École littéraire de Montréal s'appellera à l'avenir l'Académie littéraire de
Montréal», peut-on lire dans *Le Devoir* du 8 juillet 1910[13]. Olivar
Asselin, dans *Le Nationaliste,* s'amuse de l'affaire: «Six ou sept
membres de l'École littéraire, fatigués de porter le titre d'écolier, ont
pris celui d'académicien qui sonne mieux. Ils se sont adjoints trois
étrangers et sont maintenant dix. Ils sont en train d'avoir de l'esprit
comme quatre[14].» Un an plus tard, les deux factions se réconcilient et
reprennent le nom d'École littéraire de Montréal. L'immortalité
convoitée, encore une fois, se refuse.

La mission académique de la Société du parler français

Paradoxalement, l'institution qui, en ce début de siècle, présente le
plus de ressemblance avec le modèle académique français ne porte
même pas le nom d'académie. Il s'agit, bien sûr, de la Société du
parler français au Canada. Dans un discours prononcé lors du Premier
Congrès de la langue française, Adolphe-Basile Routhier, au nom de
la Société, affirme que, si la France est pour les Québécois «la *Magna
parens,* la grande, l'illustre, l'immortelle aïeule», l'Académie française est l'«*Alma Mater,* la Mère nourricière et féconde sur les genoux
de laquelle nous avons appris à parler, qui nous a donné la vie intellectuelle, et qui nous la conserve, en nous distribuant le pain substantiel
de la forte prose et le vin pétillant de l'éloquence et de la poésie[15]».
Les sympathies et l'admiration vont d'autant plus à l'Académie
française que la vénérable institution, par son histoire même, rappelle
— au cœur d'une France contemporaine dont les valeurs nouvelles

choquent l'élite clérico-bourgeoise du Québec — la pérennité de la France aimée: la France classique. Cette France d'avant la Révolution, dans l'apogée de la triade État/Religion/Langue, présente une image parfaite des aspirations de l'élite cléricale de l'époque. Aussi, la reconnaissance que l'institution française accorde en 1910 à la Société du parler français au Canada, en décernant le prix Saintour au *Bulletin du parler français,* est-elle reçue par les directeurs de la Société comme la *véritable* consécration, c'est-à-dire la consécration que seule peut dispenser l'instance à qui le «consacré» reconnaît la pleine et entière légitimité consacrante. C'est la seule forme de consécration qui compte, la seule, d'ailleurs, que pouvait recevoir la Société du parler français puisque — sur le modèle de ce que Camille Roy fait avec la tradition de la critique littéraire au Québec — la Société, tout en se reconnaissant des devanciers, isolés et souffrant d'un manque de formation scientifique, se définit comme une institution fondatrice au Canada français. Il fallait donc que la consécration vienne d'ailleurs, cet ailleurs ne pouvant être autre que la France.

Plusieurs des buts de la Société du parler français au Canada rappellent ceux de l'Académie française, principalement — contrairement à l'École littéraire de Montréal qui, elle, s'intéressait surtout au rayonnement littéraire de l'institution — les buts linguistiques. Outre qu'elle se donne comme mission d'«entretenir chez les Canadiens-Français le culte de la langue maternelle, [de] les engager à conserver pur de tout alliage, à défendre de toute corruption le parler de leurs ancêtres[16]», la Société du parler français aspire à apporter ce qu'on pourrait appeler un supplément canadien à la norme française. Entendons-nous bien, la Société ne cherche pas à rapatrier des pouvoirs linguistiques déjà reconnus à la France et à l'Académie française. Les aspirations de la Société sont plus modestes, ce qui ne l'empêche toutefois pas de chercher à occuper l'espace qu'elle juge négligé à tort par les actuels membres de l'Académie.

Le programme ressemble à celui-ci: l'Académie française conserve la pleine et entière juridiction sur les structures fondamentales de la langue, ces immortels caractères qui se mettent en place au Grand Siècle et qui font l'orgueil de tous ceux qui parlent français à travers le monde. La Société du parler français quant à elle — compte tenu de l'évolution tant sociale que politique qui provoque de plus en plus une séparation des mentalités comme des parlers des deux côtés de l'Atlantique — se donne le rôle de greffier et de censeur des particularités canadiennes «de la langue ancestrale». Sur le plan social, aux yeux d'une très large partie de l'élite québécoise de l'époque, les idées républicaines, en particulier tout l'effort de laïcisation de l'enseignement en France, représentent le mal, et, par rapport à la France classique, une forme de dissolution du génie français. Sur le plan linguistique, l'abandon du «parler ancestral» par Paris (puisque les provinces françaises l'ont conservé et même, en ce début du siècle, le célèbrent à travers le régionalisme) au profit de néologismes qu'on juge douteux est aussi un objet de scandale. Voici comment Adjutor Rivard définit les prémisses sur lesquelles se fonde le travail de la Société:

> Au point de vue scientifique, nous sommes partis de cette vérité historique que les langues exportées perdent, pour un certain temps, leurs forces d'extension intérieure et de développement intime, c'est-à-dire que les deux grandes forces qui règlent le mouvement du langage, la force révolutionnaire et la force conservatrice, celle-ci est toujours plus vivace dans les rameaux détachés du tronc principal, tandis que l'autre, la force révolutionnaire, ou bien s'atténue au point de n'exercer plus d'influence, ou bien, ce qui est encore plus désastreux, se borne à faire entrer dans la langue des éléments étrangers qu'elle n'est pas capable d'assimiler suffisamment[17].

Si, toujours, selon le secrétaire de la Société du parler français au Canada, le grand problème du parler franco-canadien relève de la «force conservatrice» de la langue, car on y trouve des «signes non équivoques, non pas de dégénérescence, mais de stagnation», celui du français de Paris, au contraire, souffrirait d'un affaiblissement notoire de cette force essentielle à la conservation de la «pureté» de la langue. C'est pourquoi la Société vise à la fois à revivifier le parler franco-canadien, à l'épurer des anglicismes qu'il contient et à faire reconnaître la légitimité de ce parler par l'Amérique anglo-saxonne et par la France. La conviction de la Société, c'est qu'il faut conserver les patois et les archaïsmes pour enrichir la langue et «la ramener sans cesse à sa pureté et à sa signification essentielle. Ainsi pensaient Ronsard et Malherbe[18]».

On comprend alors pourquoi la Société cherche ses appuis et parfois même son inspiration beaucoup plus du côté des provinces françaises que du côté de Paris, beaucoup plus du côté des organismes de promotion culturelle en régions que du côté de l'Académie française, à plusieurs égards trop parisienne[19] pour elle:

> Notre parler fait ici ce que font là-bas les parlers régionaux des provinces françaises: il travaille à cette mystérieuse formation des mots que le peuple façonne d'abord, et martèle et retourne, et polit, et qui constituent le trésor où la langue classique puise sans cesse pour renouveler son vocabulaire, pour faire circuler dans son lexique une vie plus jeune et plus intense[20].

Le peuple dont il est question ici, ce «peuple qui fait les langues», ce «père légitime des vocables bien venus», est essentiellement paysan. Le «peuple» est absent des villes. Profondément fidèle aux vieilles traditions françaises, le peuple dont parle la Société du parler français au Canada est décrit comme un grand corps sain et vigoureux[21] dont l'immense pouvoir de création linguistique serait une force aveugle, qui demande à être endiguée. «Car, si c'est le peuple qui fait les langues, c'est lui qui les déforme aussi[22]», dit Adjutor Rivard. C'est pourquoi «il faut veiller[23]».

On peut résumer la chaîne de cette «défense et illustration» du parler français au Canada que la Société préconise et réalisera jusqu'à un certain point: au départ, le peuple des campagnes crée des mots que la Société du parler français recueille, étudie et classe en produits conformes et en produits non conformes; viennent ensuite les écrivains qui, puisant dans cet or désormais pur de tout alliage, reçoivent la précieuse et délicate mission de faire entrer ces mots «canadiens» dans «le vocabulaire classique»:

> [La Société du parler français au Canada] ne donne le droit de cité à aucune forme; et elle se borne à signaler quelques mots franco-canadiens qui ont vraiment bon air et de la naissance, qu'il semblerait bon de conserver, et qu'un jour ou l'autre, quelque plume autorisée devra faire entrer dans le vocabulaire classique[24].

En réalité, l'œuvre de conservation et d'épuration entreprise par la Société, en 1902, est beaucoup plus ambitieuse que ne le laisse paraître Adjutor Rivard. Le projet de son grand «dictionnaire» en est la meilleure preuve:

> Notre dictionnaire serait donc comme un monument élevé à notre langue maternelle. Monument national, qui montrerait que notre langue est bien celle des ancêtres, qui jadis apportèrent sur les bords du Saint-Laurent le meilleur des provinces de France.

> Monument solide, qui prouverait aussi que notre langue est un
> véritable français, où se rencontrent sans doute des archaïsmes et
> des formes dialectales, mais absolument respectables[25].

Le projet de ce dictionnaire, dont les premiers travaux sont publiés régulièrement dans le *Bulletin du parler* trouve naturellement à s'inscrire dans la vaste campagne de «nationalisation de la littérature canadienne» lancée officiellement par Camille Roy en 1904. Il faut se rappeler que c'est dans le cadre d'une assemblée générale annuelle de la Société du parler français que Camille Roy présente cette conférence, et que c'est dans le *Bulletin du parler français* que paraissent en janvier 1904 ses premiers travaux d'historien littéraire. Ces articles constituent d'ailleurs pour le *Bulletin* comme pour la Société du parler français au Canada une première percée du côté littéraire.

La constitution d'une littérature d'archives

Les deux principaux responsables de l'entrée du *Bulletin du parler français* dans le champ littéraire, Adjutor Rivard et Camille Roy, n'ont pas été que des maîtres d'œuvre théoriques, ils ont aussi apporté chacun des exemples de cette «nationalisation» souhaitée. Le premier, Camille Roy, publie le 28 octobre 1905 dans sa chronique de *La Nouvelle-France* un court texte intitulé «le Vieux Hangar[26]», dans lequel l'auteur s'émeut du désarroi d'un hangar abandonné. Dans la même veine régionaliste, Adjutor Rivard réunit, sous le titre évocateur de *Chez nous*[27], une série de douze petits tableaux rustiques glorifiant la vie rurale d'autrefois. Ces textes, ceux de Rivard comme celui de Roy, ne peuvent être considérés comme les plus grandes réussites du mouvement régionaliste au Québec, loin de là. Les titres, à eux seuls, permettent de saisir les principaux traits des positions littéraires que la Société du parler français élabore à compter de 1904.

De la défense du parler français au Canada à l'illustration de ce parler par la littérature, il n'y avait qu'un pas. Camille Roy a très tôt saisi l'importance des rapports entre la langue parlée et la langue littéraire. Il ne cesse jamais d'en entretenir ses divers auditoires tout au long de sa carrière publique. Dès ses premiers articles dans le *Bulletin du parler français,* à partir de janvier 1904, en passant par les trois grandes études qui ouvrent la seconde partie des *Études et Croquis* en 1928 («Pourquoi nous aimons notre langue», «Notre langue et notre littérature», «Notre langue et nos traditions: une leçon des *Anciens Canadiens*») jusqu'à ce texte-bilan de 1931 intitulé «Critique et littérature nationale» dans lequel il évoque encore une fois cette question, mais dans le cadre des débats de l'époque, Camille Roy fonde sa pensée littéraire sur une problématique linguistique. Dans l'avant-propos de *Nos Origines littéraires,* il écrit que «l'histoire de la langue d'un peuple et l'histoire de sa littérature ont plus d'un rapport nécessaire[28]». Sa participation à l'«œuvre populaire et nationale[29]» de la Société du parler français lui permet de travailler à raffermir ce rapport et à le faire reconnaître comme incontournable. Dans cet organisme créé sous les auspices de l'Université Laval et sous le regard bienveillant des élites bourgeoise et cléricale[30], Camille Roy est, comme on dit, à sa place. Il accède très tôt d'ailleurs à la présidence (1906), nomination qui manifeste l'ascendant qu'il exerce sur les membres des comités de direction du *Bulletin* et de la Société. Cet ascendant permet d'expliquer comment, au sein d'une institution prioritairement orientée vers l'étude philologique et la recherche lexicographique, le volet littéraire prend tant d'ampleur et si rapidement.

En 1931, Camille Roy, rappelant l'apport du *Bulletin* au renouveau littéraire du début du siècle, juge que le mouvement «terroiriste» — issu du régionalisme prôné par la Société du parler français — est allé trop loin et qu'il a trop étroitement interprété le programme de «nationalisation» littéraire qu'il a lui-même officiellement lancé. S'il se dissocie, dans cet article, des «excès» qu'a entraînés le courant régionaliste, il réaffirme le rôle capital qu'a joué le *Bulletin du parler français* dans la formation de ce courant:

> Si l'on veut savoir le rôle que joua la critique pour orienter dans une voie nouvelle, plus canadienne, notre littérature, que l'on relise les dix premières années du *Bulletin* de la Société du parler français[31].

Au terme d'un dépouillement systématique et rigoureux des périodiques qui paraissent au Québec entre 1900 et 1930, Annette M. Hayward confirme le rôle décisif joué par le *Bulletin du parler français* dans l'orientation littéraire du Québec. Elle fait observer que «la revue utilise d'une façon peu précise les termes «régionaliste» et «terroir», [qu'il] arrive même que ces deux mots s'emploient comme de simples synonymes de «canadien[32]». Pour madame Hayward, il ne fait aucun doute que la cause première de la querelle entre les régionalistes et les «exotiques» est la campagne pour une littérature régionaliste menée par la revue: «les enseignements littéraires du *Parler français* représentent en grande partie la doctrine contre laquelle se rebelleront les «exotiques[33]». Quelle est cette doctrine? Comment la définir? Dans une intervention faite dans le cadre du Premier Congrès de la langue française au Canada, Camille Roy retrace les grandes lignes de sa percée:

> Déjà la Société du Parler français au Canada avait quelque peu élargi, sans le briser, le cadre de ses premiers travaux. Elle avait sollicité pour son Bulletin des études d'histoire de la littérature canadienne, des articles de critique, des pages originales sur les mœurs et les choses de chez nous. Souvenez-vous seulement du *Poêle* de M. Adjutor Rivard, et de son *Heure des vaches*. Et dites-moi si des pages comme celles-là ne sont pas écrites dans une langue «tel sur le papier qu'à la bouche», comme eût dit Montaigne, et si elles n'illustrent pas, comme il convient, le programme de notre Société[34]?

En clair, l'objectif littéraire de la Société est de veiller à «la transposition artistique du parler dans les livres». On confie à la littérature la mission de consigner — de peur qu'elles ne se perdent à tout jamais — les formes du «doux parler» des ancêtres canadiens. La tâche en est une d'archiviste. Elle n'est pas sans rappeler l'ambition historiographique de l'auteur des *Anciens Canadiens*. Il s'agit d'orner les textes, poèmes ou récits, de mots et d'expressions qui expriment le plus justement «l'âme nationale». La littérature devient ainsi une sorte d'écrin permettant de conserver et de mettre en valeur les trésors linguistiques menacés par le progrès.

Dans un long article consacré à Maurice Barrès[35], Émile Chartier décrit les fondements théoriques du régionalisme littéraire. Un terme revient constamment sous sa plume, celui de «tradition». Le régionalisme est essentiellement conservateur, dans les deux sens du mot. Il cherche à conserver intact l'héritage légué par les ancêtres afin de le transmettre aux générations futures, assurant ainsi sur le sol même de la «petite patrie» la pérennité «de la chaîne ininterrompue qui relie les morts aux fils à naître». Dans cet article, Émile Chartier associe librement le régionalisme pratiqué dans les provinces de France avec le régionalisme prôné par la Société du parler français au Canada:

> Si la thèse régionaliste a produit en France un effet merveilleux,
> on ne voit guère pourquoi, la même cause persistant, le même et
> heureux résultat n'en découlerait pas parmi nous[36].

Un aspect du plaidoyer de l'abbé Chartier est particulièrement révélateur des liens qui unissent les définisseurs du régionalisme littéraire québécois au champ du pouvoir. À plusieurs reprises, le critique, prenant appui sur l'œuvre de Maurice Barrès, évoque la grandeur de la «servitude», la «discipline de l'acceptation» et la nature foncièrement anarchique de toute affirmation individuelle.

Mis à part la question de la «restauration du langage» que Chartier évoque ailleurs dans son texte, tous les grands thèmes du régionalisme sont là: exaltation du sol natal, priorité donnée aux formes collectives, culte des morts et des traditions. Le régionalisme prôné par le *Bulletin du parler français* est englobant: la langue, la littérature, la religion et la nation s'y trouvent réunies et jusqu'à un certain point «célébrées». On aurait cependant tort d'y voir une forme d'engagement politique.

Dès sa fondation, la Société du parler français au Canada s'est déclarée apolitique. Au moment du Premier Congrès sur la langue française au Canada, donc dix ans après sa fondation, la Société tient à rappeler la neutralité de sa position.

L'attitude de la Société du parler français au Canada rappelle ce que Rémy Ponton dit à propos de la littérature régionaliste qui se pratiquait en France à la même époque, à savoir qu'elle est l'expression «d'un processus de désinvestissement par rapport au présent et à certains aspects du passé[37]». Dans ces années où le *Bulletin* formule et tente d'imposer à l'ensemble du champ une vision essentiellement paysanne et rurale du destin littéraire du Québec, les structures économiques et sociales de la province française sont déjà très fortement engagées dans la voie de l'industrialisation et de l'urbanisation. Par exemple, entre 1900 et 1930, le taux d'urbanisation passe de trente-cinq à presque soixante pour cent[38]. La maîtrise de ces grands changements échappe d'ailleurs complètement aux francophones. Les capitaux sont anglais et la main-d'œuvre ouvrière la moins bien payée est de langue française. Jamais la Société du parler français ne tente d'associer la situation linguistique du Québec à des causes d'ordre économique ou politique. Dans la logique de son discours, la langue, la «petite patrie» et la religion échappent au champ du pouvoir. L'hypothèse formulée par Rémy Ponton au cours de cette même recherche évoquée précédemment pourrait aussi être retenue dans une

analyse plus poussée des thèses littéraires de la Société du parler français: «la conjoncture de production de cette thématique [régionaliste]
[serait] celle d'un renoncement à l'action politique». Il est important
de souligner cette distance que la Société du parler français pose entre
elle et l'univers politique pour corriger l'erreur souvent répétée à
propos de cette période, à savoir que l'école régionaliste au Québec et
le nationalisme politique sont étroitement liés.

Le rapprochement établi avec le courant régionaliste français n'est
pas fortuit. Il faut lire les livraisons du *Bulletin* dans les premières
années de sa création pour mesurer l'influence du modèle régionaliste
des provinces françaises. On va jusqu'à publier une série de portraits
de poètes provinciaux accompagnée d'un extrait de leur œuvre qui
illustre le parti littéraire que l'on peut tirer du «parler populaire». Sous
le titre «La poésie en province» défilent ainsi une pléiade de «poètes
du clocher»: Achille Millien, poète nivernais; Gabriel Nigond, poète
berrichon; Meite Piâre Marcut, poète saintongeais; Louis Beuve, «le
bon poète normand»; Anatole Le Braz, poète breton; Paul Harel, autre
poète normand; l'abbé Justin Bessou, poète du Rouergue. Ce ne sont
là que quelques-uns des poètes présentés aux lecteurs du *Bulletin* entre
septembre 1903 et septembre 1904[39]. Si la maîtrise du vers est inégale,
les poèmes retenus ont en commun, outre leur thématique paysanne,
un écart vis-à-vis de l'usage «standard» du français.

À titre d'exemples, voici des extraits de deux poèmes publiés par
le *Bulletin:*

CHEZ NOUS

Chez nous, en bonne terre, en terre nivernaise,
Quand le chœur des oiseaux chante au bois, qu'il est doux
De suivre les sentiers où s'empourpre la fraise
Chez nous!
[...]
Plus d'un, j'en sais plus d'un que tente la fournaise
De la ville et qui part, le cœur plein d'espoirs fous...
Moi, cependant, je reste en terre nivernaise,
Chez nous.

ACHILLE MILLIEN
(*Bulletin du parler français*, vol. II, septembre 1903-
septembre 1904, p. 208-209.)

TOUT DRET!

Quand l'soleil est tombé dans l'eau,
Su' la Grise ej' rentre au domaine
Et ma vieill' jument qui m'ramène
Fait dinderlinder son guerlot.
Sans nous presser, j'suivons not'route;
[...]
Sûr que j'y resterai, dans mon coin;
J'y suis né, donc c'est l'seul qui m'plaise.
Pendiment qu'on s'y trouve à l'aise,
C'est pas sorcier d'charcher pus loin.
À preuve, c'est qu'çui-là qui voyage,
Qui d'cinquant côtés s'est tourné,
Dès qu'y sent v'ni la fin d'son âge.
S'ramèn' finir où qu'il est né. [...]

GABRIEL NIGOND
(*Bulletin du parler français*, vol. II, septembre 1903-
septembre 1904, p. 56 à 58.)

Il est évident que, par le biais de cette initiative de type anthologique, le comité directeur du *Bulletin* cherche à briser la perception monolithique que les Québécois ont du français parlé et écrit en France, à établir la parenté qui relie le parler du Québec aux parlers régionaux de la France — surtout celui de la Normandie — et faire la preuve qu'une littérature peut avec profit porter les couleurs d'une collectivité et de ses traditions.

Cette célébration euphorisante du caractère «provincial» ou «national» de la langue, selon le cas, ne monopolise toutefois qu'une partie des forces du champ linguistique. D'autres initiatives nettement plus interventionnistes voient le jour dans le but de défendre les droits législatifs et constitutionnels du français au Canada et plus particulièrement au Québec. Entre autres, il faut souligner la fondation à Montréal en 1903, par Olivar Asselin, Armand Lavergne et Omer Héroux, de la Ligue nationaliste. L'année suivante, Asselin donne une voix à la Ligue en lançant l'hebdomadaire *Le Nationaliste* auquel collabore Jules Fournier avant de remplacer le fondateur à la direction. En 1904, toujours à Montréal, sur le modèle de l'Association de la Jeunesse de France et sous l'impulsion des abbés Émile Chartier, Hermas Lalande et Lionel Groulx, naît l'Association catholique de la jeunesse canadienne-française. Toutes ces actions contribuent à nour-

rir de nouvelles formes de nationalisme qui, au-delà de leurs divergences idéologiques, présentent un objectif commun: la défense du
français. Comme l'affirme le sociologue québécois Jean-Charles
Falardeau dans la présentation générale qu'il fait au deuxième tome de
l'*Histoire de la littérature française du Québec* de Pierre de Grandpré,
«à un titre ou à un autre, la langue est au cœur de tous les courants de
pensée et de toutes les entreprises culturelles[40]» de l'époque.

Au milieu de cette effervescence nationaliste et de la multiplication des mouvements de pression en faveur de la langue française, la
Société du parler français demeure l'institution la plus imposante,
celle qui regroupe le plus grand nombre de membres et qui possède
l'organisation la plus solide. Olivar Asselin lui-même en fait partie dès
la fondation. L'orientation première de la Société, c'est-à-dire son
travail philologique, n'est guère contestée; son orientation littéraire
par contre l'est, et très tôt. La contestation prendra un caractère radical
et plus systématique à partir de 1918 avec la création de la revue culturelle d'avant-garde *Le Nigog,* mais déjà, en 1904, la pensée littéraire
des directeurs du *Bulletin du parler français au Canada* doit faire face
à une opposition. L'œuvre d'un jeune poète, mais peut-être davantage
encore la nouveauté du commentaire critique qui précède la parution
de l'œuvre, sert de prétexte à ces premiers affrontements de la longue
querelle que se livreront les régionalistes et les «exotiques».

L'enjeu littéraire «Émile Nelligan»

En 1902, Louis Dantin publie en feuilleton dans le journal *Les
Débats*[41] un long commentaire critique sur l'œuvre d'Émile Nelligan,
encore non publiée en recueil. Il y dit: «Il est banal de rappeler que
l'art est avant tout la splendeur vivante de la forme. En poésie, comme
en peinture, le style n'est pas seulement tout l'homme, il est presque
toute l'œuvre[42].»

Le credo esthétique de Louis Dantin, contrairement à ce qu'il
affirme, n'a rien de banal. Ni l'ensemble de cette longue étude qu'il
consacre à Émile Nelligan. Dans l'introduction à leur anthologie *La
Poésie québécoise,* publiée en 1981, Laurent Mailhot et Pierre Nepveu
voient dans «la fameuse préface de Louis Dantin [...] le début de la
critique[43]» véritable. Il y aurait donc deux «pères» de la critique litté-

raire au Québec: Camille Roy et Louis Dantin! Pourtant, si l'on y regarde de plus près, leurs trajectoires respectives se situent à l'opposé l'une de l'autre.

Si le destin de Camille Roy représente une très grande réussite sociale, fruit d'une ascension progressive, harmonieuse et ininterrompue, celui de Louis Dantin est aux antipodes. Alors que tout le prépare — l'origine sociale (père avocat), les études brillantes au Collège de Montréal — à une carrière très en vue et sans surprise, la ligne de son destin est, en milieu de parcours, une ligne sinueuse, brisée et douloureusement nouée à plusieurs endroits.

Curieux homme que ce Louis Dantin[44], de son véritable nom Eugène Seers, qui, à l'âge de dix-huit ans, quitte le Québec pour aller voyager en Europe et entrer dans la Congrégation des pères du Très-Saint-Sacrement, à Bruxelles. Après une absence de dix ans, il revient au pays peu de temps avant la fondation de l'École littéraire de Montréal. Il y reste cette fois neuf ans. En 1903, alors qu'il est à terminer l'édition de l'œuvre de Nelligan, il quitte brusquement sa communauté et décide de s'exiler aux États-Unis. La perte de la foi religieuse serait à l'origine de son départ. De Boston, il suit la vie littéraire du Québec, correspond avec des écrivains, mais son influence ne sera plus jamais aussi forte ni aussi capitale qu'elle le fut au tournant du siècle. La société québécoise de l'époque n'accepte pas les défroqués. Dès la fondation de l'École littéraire de Montréal, il s'intéresse à ses activités et y fait la connaissance d'Émile Nelligan avec qui il se lie d'amitié. Selon Paul Wyczynski, la première rencontre a lieu au début de septembre 1898. Beaucoup d'autres suivront.

Bien qu'il soit en pleine crise religieuse, Louis Dantin, toujours le père Eugène Seers, dirige alors la revue de sa congrégation. La poésie y a sa place. Aussi, la complicité littéraire des deux hommes trouve-t-elle prétexte à s'exercer à partir du *Petit Messager du Très Saint-Sacrement* dont Dantin se trouve à la fois l'imprimeur, l'éditeur et, sous le pseudonyme anagrammique de Serge Usène, le rédacteur. Nelligan y publie quelques poèmes, dont *Les Déicides* en octobre 1898.

Dantin ne tarde pas à reconnaître l'extraordinaire talent littéraire du jeune homme qui lui semble tenir du «prodige»:

> J'ose dire qu'on chercherait en vain dans notre Parnasse présent et passé une âme douée au point de vue poétique comme l'était celle de cet enfant de dix-neuf ans. [...] En admettant que

l'homme et l'œuvre ne soient qu'une ébauche, il faut affirmer que c'est une ébauche de génie[45].

Lorsque *Les Débats* entreprennent la publication de l'étude, le poète est interné depuis tout juste trois ans[46]. Les espoirs de guérison sont nuls. Les premiers mots du texte de Dantin ne trompent pas: «Émile Nelligan est mort. Peu importe que les yeux de notre ami ne soient pas éteints [...][47].» L'hommage prétend cependant à bien autre chose qu'au témoignage. Dantin entend proposer une lecture *littéraire*. Il en informe d'ailleurs ses lecteurs:

> Je voudrais étudier les éléments divers dont se formait ce talent primesautier et inégal, rechercher ses sources d'inspiration, démêler dans cette œuvre la part de la création originale et celle de l'imitation, caractériser la langue, le tour et le rythme de cette poésie souvent déconcertante[48].

Tant pour qualifier l'œuvre que pour rendre compte du destin personnel de Nelligan, Dantin fait reposer l'essentiel de son argumentation sur des critères esthétiques. Tout est présenté en fonction de l'Art. Par exemple, décrivant physiquement le jeune homme, il dit: «sur le seul visa de sa tête, on l'eût admis d'emblée, en 1830, parmi les claqueurs d'*Hernani*[49]». Le décrivant intellectuellement, le critique affirme qu'«il n'a lu que les poètes, et [qu'] il ne sait de toutes choses que ce qu'il en apprend chez eux[50]». Lorsqu'il regrette que Nelligan n'ait pas apporté un «cachet canadien» à sa poésie, Dantin se hâte de préciser que par là il ne «prêche pas le patriotisme» mais qu'il «parle au point de vue purement littéraire[51]». Pourtant, comme le souligne justement André Gaulin[52], la thématique et jusqu'au lexique de cette poésie sont manifestement nourris par une réalité et une mythologie bien canadiennes-françaises. Les poètes qui se réclament de Nelligan à l'époque ne s'y trompent pas.

Peu étonnants aujourd'hui, les propos de Dantin, replacés sur la scène littéraire du Québec de 1902, le sont grandement. L'univers de référence du texte de Dantin — à l'image de la poésie de Nelligan — est l'univers artistique. Toutes les notations y sont soumises à des lois qui sont celles d'un champ littéraire souverain, ce que le champ littéraire québécois était loin d'être au début du siècle, en dépit des aspirations de «la génération de 1895». En ce sens, le texte de Dantin acquiert une valeur prophétique certaine. Aussi ne se surprend-on pas lorsqu'au terme d'une étude portant sur la réception de l'œuvre de Nelligan, Jacques Michon fait observer que «tout se passe comme si l'étude de Louis Dantin rééditée comme préface à la première édition de l'œuvre avait épuisé pour un demi-siècle tout ce qu'on pouvait écrire sur elle[53]».

Il faut rappeler que l'étude paraît la même année qu'est fondée la Société du parler français, deux ans donc avant le prononcé de la conférence-manifeste de Camille Roy qui lance le programme littéraire de la Société et de son *Bulletin:* la «Nationalisation de la littérature canadienne». Comment ne pas voir que la célèbre conférence porte en creux l'étude de Dantin qui, cette même année 1904, retrouve son actualité, cette fois comme préface à la première édition des poèmes de son ami? Comment ne pas voir que secrètement elle dialogue avec elle, répond à certaines interrogations, réfute certains arguments, en prolonge d'autres? Il n'est pas difficile de voir à qui Camille Roy pense lorsqu'il brandit le spectre de «ces écrivains français égarés sur les bords du Saint-Laurent[54]» dont les fréquentations quotidiennes avec la production littéraire française «vont même jusqu'à faire passer dans notre langue les moins heureuses nouveautés de la langue que l'on écrit à Paris[55]». Quelques années plus tard, Émile Chartier trouvera la formule qui résume la pensée de Camille Roy et celle des définisseurs du régionalisme littéraire au Québec: «Au lieu de rechercher l'exotisme, nous cultivons l'archaïsme[56].» Ce que Dantin avait révélé des pratiques linguistiques de Nelligan entrait en contradiction avec les convictions les plus fondamentales des dirigeants du *Bulletin du parler français*. Je me permets, pour mémoire, de citer le passage concerné:

> […] je l'ai dit plus haut, Nelligan n'a rien appris, et la grammaire pas plus que le reste. Cela se voit, il faut l'avouer, en plus d'une page de ses écritures. La syntaxe n'est pas son fort, et ce fut un malheur pour lui d'être venu au monde avant la simplification de l'orthographe mais ce qui étonne, c'est qu'il possède avec cela un vocabulaire d'une éblouissante richesse; c'est que sous sa plume abondent les tournures délicates et savantes; c'est que cet étranger connaît toutes les finesses d'une langue dont il ignore le rudiment. De là résulte un curieux mélange de naïvetés grammaticales et de raffinements stylesques[57].

Camille Roy ne tombe pas sous le charme de cette «musique pure» qui, aux yeux de Dantin, rachète le peu d'enracinement national du poète[58]. Dès 1905, le jugement de Camille Roy sur Nelligan est fait. On le voit dans son compte rendu de l'article élogieux que vient de faire paraître en France Charles ab der Halden:

> Émile Nelligan fut un excentrique, un bizarre, un nerveux richement doué, capable des plus belles hardiesses, capable aussi de *sombrer,* comme il l'a dit lui-même, *dans l'abîme du rêve.* M. Ch. ab der Halden l'inscrit sur la liste de ces bohêmes de la littérature, des *poètes maudits* qui ont eu là-bas les plus étranges existences. [...]

> M. Halden place avec raison le recueil des poésies de Nelligan parmi les meilleures œuvres lyriques que nous ayons; et il regrette que ce jeune homme ait si tôt fini sa carrière. Nul peut-être, au Canada français, n'avait si bien réussi à exprimer et à rendre en une forme plus neuve et plus personnelle sa pensée et son émotion profonde. «Avec lui, si la poésie de son pays perd en couleur locale, elle s'élargit en même temps qu'elle devient plus intime.» Nelligan fut donc, en ce sens, bien original, et s'il n'est pas un isolé — *(mais nous craignons qu'il n'en soit un)* — il marque une phase nouvelle de l'histoire littéraire franco-canadienne[59].

Au moment où Camille Roy écrit ces lignes, les craintes qu'il exprime — effets de rhétorique, on n'en peut douter — sont fondées: Nelligan demeure un «cas isolé». Le renouveau littéraire annoncé tarde à se manifester. L'École littéraire de Montréal, après quatre ans d'existence et d'effervescence, semble essoufflée. Avec le printemps de 1900, elle entre dans l'ombre et le silence, et, lorsqu'elle renaîtra de ses cendres autour de 1908[60], ce sera pour régler la cadence de son pas sur celui de la Société du parler français. Personne ne conteste le programme de «nationalisation» des dirigeants du *Bulletin,* ni son attrait pour le mouvement régionaliste français.

Cette unanimité du champ n'est pourtant qu'apparente. Au *Nationaliste,* une opposition se fait jour. Nelligan a laissé non seulement des camarades en poésie, mais il a aussi laissé des héritiers. Il n'est d'ailleurs pas indifférent que les premières chroniques littéraires du *Nationaliste* aient justement célébré la parution du recueil de Nelligan[61]. Outre Albert Lozeau, qui devient rapidement le poète «attitré» du journal, Olivar Asselin accueille au *Nationaliste* quelques jeunes étudiants de l'Université Laval de Montréal. Parmi ces étudiants, on retrouve Paul Morin, Henry Marcel Dugas, René Chopin et Guillaume Lahaise (Guy Delahaye). Cette collaboration littéraire des quatre amis est très révélatrice. D'ailleurs, un ancien camarade de Marcel Dugas, dans ses «Souvenirs de collège» publiés lors du dixième anniversaire du journal, raconte avoir entendu Marcel Dugas s'exclamer en extrayant des profondeurs de sa poche un numéro du *Nationaliste*: «Enfin dans ce pays de sauvages, on a un journal rédigé en français[62]!»

L'expérimentation de la modernité

Le goût de l'excentricité et le culte de l'Art pour l'Art animent le groupe de jeunes esthètes que la naissance et la vie ont favorisés[63]: famille bourgeoise et cultivée, études classiques, études universitaires à Montréal et à Paris, voyages, aisance financière. Profil social fort différent de celui de l'ensemble des auteurs québécois rencontrés jusqu'ici.

Urbains par naissance ou par choix, rêvant de devenir citoyens des grandes villes du monde, ils étaient profondément étrangers aux réalités et au chant du monde paysan que l'on défendait avec tant d'ardeur du côté de Québec. Tout les préparait à occuper une position différente et absolument inédite dans le champ littéraire québécois de l'époque. Leur aisance matérielle et culturelle favorise l'adoption d'une vision de l'art et de l'artiste fondée sur des valeurs de subjectivité, de gratuité et de «modernité», toutes valeurs contraires aux valeurs prônées par les dirigeants du *Bulletin du parler français* qui, eux, défendent comme critères déterminants de l'intérêt d'une œuvre sa dimension grégaire, morale et «traditionnelle». Mais là où ces jeunes gens «épris d'idéal» marquent le plus nettement leur distance par rapport aux définisseurs du régionalisme, c'est dans la souveraineté absolue qu'ils accordent à la sphère littéraire. L'art, pour eux, n'a d'autre maître que lui-même. Aussi l'idée d'une «littérature en service national», comme le prêchait l'abbé Camille Roy, leur semble-t-elle irrecevable. Cependant, la profondeur des divergences n'éclate au grand jour qu'à partir de 1910[64], au moment où paraissent les premiers livres du «groupe des artistes». Cette année-là Guy Delahaye publie *Les Phases*, l'année suivante, Paul Morin *Le Paon d'émail*, et Marcel Dugas *Le Théâtre à*

Montréal, propos d'un Huron canadien. En 1912, Delahaye récidive avec *Mignonne, allons voir si la Rose...*, et enfin, en 1913, *Le Cœur en exil* de René Chopin clôt cette première lancée de ceux que le *Bulletin du parler français* appellera les exotiques. Seul Guy Delahaye publie à Montréal[65]. Ses trois amis — sans doute secoués par la petite guerre qu'avait déclenchée la parution des *Phases* et rêvant comme Nelligan, Fréchette et tant d'autres d'être consacrés «écrivains» par des institutions françaises — publient leur premier ouvrage chez des éditeurs parisiens[66]. Deux mois à peine après la parution du recueil de Delahaye, Dugas, Chopin et Morin quittent le Québec pour l'Europe. Chopin revient en 1911. Delahaye quitte Montréal à son tour, en novembre 1912, une dizaine de jours seulement avant la parution de *Mignonne, Allons voir si la rose...* qui est en quelque sorte une réponse à la critique en même temps que le chant du cygne du poète puisque c'est le dernier recueil qu'il publie. En juin 1913, Delahaye voit son retour précipité par la maladie. Il revient au Québec accompagné par Paul Morin. Marcel Dugas, quant à lui, ne reviendra qu'en 1914 au moment où la déclaration de la guerre l'y oblige. Il rentre en même temps que le musicien Léo-Pol Morin, qui participera, en 1918, à l'aventure du *Nigog*.

Paris occupe une place très importante dans l'univers de références des quatre amis. On ne les a pas surnommés sans raison les «exotiques» ou encore les «parisianistes». Camille Roy, pour sa part, dans la première édition de son *Manuel d'histoire de la littérature canadienne-française,* accueille généreusement mais prudemment l'œuvre de Paul Morin: «Ce livre [*Le Paon d'émail*] fut pour notre public une surprise. Par lui entraient dans notre poésie canadienne l'art de décrire pour décrire, de peindre pour peindre, et l'exclusive préoccupation de montrer aux yeux des lignes souples et des couleurs harmonieuses.» Le critique rajuste son tir en ajoutant: «Cette œuvre de dilettantisme était aussi, en son fond, une œuvre païenne. Mais l'œuvre était cependant faite de bonne main d'ouvrier; et il faut reconnaître qu'il y a dans ce recueil la marque d'un talent précieux[67].» On devine que le recueil n'allait pas être sélectionné par le ministère de l'Instruction publique pour être offert en prix de fin d'année scolaire.

Dans cette première version du *Manuel,* le nom de Marcel Dugas n'apparaît pas. Quant aux deux derniers «cavaliers de l'Apocalypse», comme les quatre amis aimaient à se nommer, ils font l'objet d'une brève allusion:

D'une inspiration moins personnelle [que celle de Paul Morin], mais avec un art recherché aussi, et quelquefois trop laborieux […] M. René Chopin dans *Le Cœur en exil* (1913) [a] écrit des vers où la pensée est souvent trouble et s'égare dans des rêves d'impiété obscure. M. Guy Delahaye a trop voulu sortir des chemins battus du lyrisme, en écrivant *Les Phases* (1910), recueil où l'on aperçoit les traces d'un talent original et souple, mais où l'auteur s'est égaré dans les vagues fantaisies du symbolisme.

À ces nouveaux poètes, jugés trop audacieux, trop obscurs, trop «artistes[68]», Camille Roy préfère une poète associée à l'école régionaliste et aux activités[69] de la Société du parler français:

> *Blanche Lamontagne* est, de tout ce dernier groupe [le groupe de ces poètes «qui ont renouvelé aux souffles de la bonne nature canadienne leurs couplets rustiques ou familiers»], le poète qui sait mettre le plus de précision pittoresque dans ses vers. Son dernier recueil, *Par nos champs et nos rives,* nous montre en plein développement un talent laborieux, une âme d'artiste qui se complaît dans la vision et la description des choses qui l'entourent. Son réalisme vigoureux se mêle d'idéalisme élevé et très sain [70].

Le propos rappelle l'étude que Joseph-Évariste Prince consacre, en 1904, dans le *Bulletin du parler français,* au recueil *Les Gouttelettes* de Pamphile Lemay. Le critique dit du poète de «cette belle paroisse de Lotbinière[71]» qu'«il est de ceux qui, pour composer leur gerbe, ont très rarement glané dans le champ de l'étranger». Il écrit un peu plus loin que «le sentiment y est toujours vrai […], l'idée juste aussi bien que l'image qui la vêt». L'insistance sur «l'idée vraie» se voit justifiée par une phrase de Brunetière: «Les œuvres d'art valent par les idées qu'elles traduisent, par la force morale qu'elles contiennent.»

On reconnaît encore ici l'influence souterraine de l'étude de Louis Dantin. Les arguments y sont pratiquement repris un à un, et retournés au profit de Pamphile Lemay. Un argument domine, celui de la primauté indiscutable du fond sur la forme. Credo «éthique» que résume bien Blanche Lamontagne lorsqu'elle écrit dans *Ma Gaspésie*:

> Mon vers n'est pas brillant
> Ma voix n'est pas vivace

mais «tout poète est grand qui chante son pays».

«Exotiques», les quatre amis — Dugas, Morin, Chopin et Delahaye — le sont évidemment par les sujets de leurs œuvres. Ils le sont aussi par la langue. C'est peut-être surtout cet aspect de leurs pratiques qui déroute et choque le plus les tenants de l'école régionaliste. Le caractère éminemment ludique des productions littéraires de «l'inséparable quatuor», ce culte exploratoire du mot qu'ils affichent en toute liberté, s'opposent à l'approche conservatrice de la Société du parler français. Pour la société, langue/religion/nation sont trois volets d'une même réalité. Ce n'est pas sans raison qu'elle emploie le terme «parler» de préférence à celui de «langue». Par là, elle marque son intérêt pour une langue incarnée dans une société, ses croyances et ses traditions, une langue principalement «populaire», «parlée». Les formes savantes ne l'intéressent pas. Adjutor Rivard l'admet:

> Mais parce que chez nous, comme en d'autres pays, la langue des gens instruits et celle des citadins ne sont au fond que le français littéraire, ces deux langues n'offrent aucun intérêt au point de vue dialectologique[72].

C'est donc à la défense et à la conservation d'un langage populaire et essentiellement rural que se consacre la Société. Le volet littéraire n'échappe pas à la logique de cette orientation:

> La littérature a pour premier effet, et indépendamment de ses succès de propagande, de mettre en valeur les éléments dont une langue est faite, mots, locutions, syntaxe, de les faire se rencontrer, se coordonner, se construire selon les lois propres à chaque langue, et de créer en quelque sorte les formes les plus heureuses par lesquelles puisse s'exprimer l'âme d'un peuple[73].

Aussi, comme Camille Roy le précise dans un autre article, le rôle des lettres canadiennes ne peut-il être qu'«un rôle de service national»:

> Servir: telle doit être la mission de l'écrivain, et telle est la mission d'une littérature.

> C'est pourquoi l'écrivain doit rester en contact étroit avec son pays et, si l'on peut dire, exister en fonction de sa race[74].

Si, contrairement à ce que l'on affirme souvent, les «exotiques», du moins ceux d'avant 1914, croient en la nécessité de défendre et d'épurer la langue française parlée et écrite au Québec — leurs années de collaboration au *Nationaliste* le prouvent —, ils croient aussi à l'entière liberté de l'artiste et de son art. Dans *Apologies,* Marcel Dugas l'affirme au nom du groupe: «L'art se suffit à lui-même: il n'est pas un serviteur, plus ou moins maniable, des goûts de la multitude, des passions politiques ou religieuses. Il constitue un état dans l'état[75].» À cela, Camille Roy réplique que «la doctrine de l'art pour l'art est à la fois un non-sens moral et un non-sens social[76]». Sur la fonction de la littérature dans la société, les deux camps sont irrémédiablement opposés. Leurs trajectoires respectives les préparaient à cet affrontement. Ces jeunes esthètes, favorisés par la naissance et la formation, représentaient la montée d'une nouvelle élite bourgeoise montréalaise d'expression française. Nés dans des familles où la culture avait sa place, où la langue était un instrument maîtrisé de «distinction[77]», ces jeunes écrivains ne semblent pas connaître le sentiment d'inquiétude linguistique qu'exprime par exemple si bien Albert Lozeau dans l'introduction à *L'Âme solitaire.* On ne retrouve chez eux aucune trace apparente du complexe linguistique du colonisé. Ils sont sûrs d'eux-mêmes et s'adonnent en toute tranquillité d'esprit aux jeux du langage. Le passé ne les intéresse guère; l'avenir et l'inconnu les attirent comme des aimants. Le désir du neuf remplace celui de la tradition. Le mot rare ou nouveau les éblouit davantage que le mot du terroir. Avec eux, la littérature devient souveraine et savante.

Il est évident que cette dimension ludique que l'on retrouve chez les «exotiques» implique une mise à distance de la fonction utilitaire du langage, une mise à distance donc de l'oralité, plus précisément des particularités d'accent, de lexique ou de tours syntaxiques qu'a pris la langue française au Québec. On peut émettre l'hypothèse que devant les problèmes linguistiques des Québécois — ils en étaient conscients depuis au moins leur passage au journal d'Asselin — ils auraient choisi la voie de l'excès, de l'artifice et de la fête. Alors que les définisseurs du régionalisme cherchaient, à l'intérieur de limites définies par l'histoire et la géographie, les éléments de revalorisation du français, les «exotiques», au contraire, ont cherché à affirmer leurs pleins droits sur toute l'étendue de la langue, sur au moins tout cet espace d'invention que les régionalistes laissaient aux Parisiens. Un *Refus global* avant l'heure?

Le tableau comparatif suivant permettra de mieux cerner les tensions qui traversent les deux «poétiques»:

PRINCIPAUX CARACTÈRES DE LA LANGUE VALORISÉS PAR	
LES RÉGIONALISTES	LES «EXOTIQUES»
rurale, paysanne	urbaine
populaire	savante
concrète	abstraite
provincialiste	parisianiste
orale	écrite
simple, naturelle	rare, travaillée
impersonnelle, collective	subjective
archaïque	nouvelle
classique	moderne
«canadianiste»	«néologiste»

On notera qu'Olivar Asselin et Jules Fournier partagent, *grosso modo,* les positions linguistiques des «exotiques». Le français qu'ils défendent est un français plus urbain, plus moderne et plus à l'écoute de l'évolution du français européen que celui qui est défendu par les gens du *Bulletin.* Il faut cependant préciser qu'il s'agit ici des positions linguistiques engagées dans des pratiques littéraires ou dans une approche critique de la littérature québécoise et non d'une appréciation globale du travail lexicographique effectuée par la Société du parler français. Par ailleurs, il faut aussi reconnaître que, si les positions littéraires de la Société ont acquis une telle audience et une telle force de domination dans le champ littéraire québécois, jusqu'à drainer sur leur passage les énergies restantes de l'École littéraire de Montréal[78], c'est en très large partie grâce aux liens privilégiés que les dirigeants de la Société entretenaient avec le milieu de l'enseignement et grâce à l'organisation matérielle et humaine qui servait de support à la grande enquête lexicographique lancée par la Société.

Le «cheval de Troie» linguistique

Contrairement à l'École littéraire de Montréal qui passe ses premières années à chercher un lieu pour ses réunions ou un mode de financement pour ses activités, la Société du parler français naît sous une bonne étoile. L'Université Laval de Québec la prend en charge et en assume la promotion. L'œuvre est d'éducation et d'intérêt public:

> Fondée par vingt membres seulement, la Société, dit son secrétaire Adjutor Rivard au Premier congrès sur la langue française, a vu augmenter considérablement le nombre de ses adhérents; dès le 1er septembre 1902, elle en comptait 204, et aujourd'hui [en 1912] nous sommes au-delà de 1 000[79].

Les membres de la Société doivent payer une cotisation annuelle, fixée à deux piastres, la première année d'exercice. Contre le paiement de leur cotisation, les membres reçoivent le *Bulletin* de la Société et ceux qui en font la demande «une petite brochure contenant un plan d'études, une méthode de travail et une méthode d'observation[80]». De plus, la Société avait prévu dans sa constitution l'établissement de «cercles d'étude, affiliés à la Société» et répartis à travers le Québec. Un an après sa fondation, la Société compte déjà cinq cercles d'étude: celui du Petit Séminaire de Québec, du Collège de Joliette, du Collège de Lévis, du Collège de Saint-Hyacinthe ainsi que le cercle d'étude de Waterloo. Ces cercles vont eux aussi connaître une croissance remarquable, partout à travers le Québec. Dans sa livraison du printemps 1911, le *Bulletin* reproduit un mémoire lu à la séance publique de la Société du parler français qui décrit l'esprit et le mode de fonctionnement de l'un de ces cercles installé au Collège de Valleyfield:

> Les membres étudiants sont partagés en quatre comités, soit pour l'année présente: *le comité des Questions nationales et religieuses,* où ergotent et pérorent les élèves finissants; *le comité des Statistiques,* où glanent et mettent en fiches les élèves de Philosophie 1ère année; *le comité de Littérature,* où dissertent les élèves de Rhétorique; et enfin le *comité du Parler français,* où besognent les élèves de Belles-Lettres. Chaque comité doit avoir une réunion par quinzaine et donner alors à son programme d'étude une heure de son travail. Chacun des membres doit être secrétaire à son tour et préparer, pour la réunion générale du groupe qui a lieu deux fois le mois, un rapport de la besogne accomplie à la réunion du comité[81].

Les plus jeunes membres recueillent au collège et dans la ville des échantillons de parler populaire, notent les mots pittoresques, les expressions vieillies et tous les anglicismes qui, à Valleyfield, sont légion: «Les jeunes enquêteurs ont couché sur des listes les résultats de leurs observations: anglicismes, néologismes, franco-algonquinismes, barbarismes, solécismes, rien n'a été oublié[82].» Cette tâche de «refranciser le milieu» s'accompagne d'un encadrement réflexif et d'un enseignement préparatoire:

> Il leur faut [à ces jeunes gens] des principes qui les guident dans leur sarclage de la parlure canadienne-française, si avec l'ivraie, ils ne doivent pas arracher le bon grain. De même, ils ne peuvent se livrer avec amour à la tâche que s'ils connaissent tout le prix de la langue maternelle, s'ils ont senti palpiter sous l'étoffe des vieux mots l'âme claire et chevaleresque de leur race. Et alors, ils étudieront la nature, les caractères de leur langue pour en avoir l'intelligence et le respect; ils en apprendront les luttes et les droits pour en avoir l'amour et la fierté[83].

Dans son grand mémoire présenté lors du Congrès de 1912, Adjutor Rivard affirme que l'enquête lexicographique est menée par «plus de 200 correspondants, distribués dans toutes les parties de la Province».

On sait que ce travail d'étude et de cueillette se poursuit pendant plusieurs années, puisque ce n'est qu'en 1930 que paraît le *Glossaire* tant attendu. Le «plus important lexique de la langue franco-canadienne», selon Gaston Dulong, le *Glossaire,* dans l'histoire matérielle qui est celle de sa constitution, fut aussi — on ne peut l'ignorer — le cheval de Troie du régionalisme littéraire au Québec.

Par le biais du *Bulletin*[84], organe d'information et de liaison de la Société du parler français au Canada que tous les cercles d'étude et tous les membres reçoivent, la définition du littéraire national telle qu'élaborée par Camille Roy, Adjutor Rivard, Joseph-Évariste Prince et autres a pu circuler partout à travers le Québec et s'imposer comme définition légitime de la littérature québécoise. D'autre part, la complicité très étroite que la Société entretient dès sa fondation avec le milieu de l'enseignement, avec l'Université Laval et les plus hautes instances du ministère de l'Instruction publique assure, par le fait même, une légitimité accrue et inattaquable à son action, tout en favorisant la formation d'un public lecteur pour la littérature québécoise. Créée sous les auspices de l'Université Laval de Québec, la Société compte constamment au nombre de ses dirigeants de grandes personnalités du monde de l'enseignement: recteurs de l'Université, professeurs, surintendants de l'Instruction publique, etc.

Le travail de la Société du parler français, en raison des formes qu'a prises sa présence dans le milieu, a contribué à mettre en place un nouvel «habitus» littéraire et à créer ainsi les conditions d'apparition d'un marché pour la littérature nationale. Plusieurs générations de collégiens — futures élites intellectuelles du Québec — hériteront ainsi d'un «savoir» façonné par les dirigeants du *Bulletin du parler français*. Ils auront appris l'histoire de la littérature de leur pays dans les ouvrages de Camille Roy. Ils auront sans doute aussi reçu, en prix de fin d'année, quelques ouvrages choisis avec soin parmi «ces fleurs du terroir, les plus purs petits chefs-d'œuvre de la lyre canadienne[85]».

Conclusion

Je me suis fait une raison
De me plier à la mesure
Du petit cercle d'horizon
Qu'un coin du ciel natal azure.

NÉRÉE BEAUCHEMIN

L'érable se tord comme un bambou

ÉMILE NELLIGAN

J'attends d'être mûri par la bonne souffrance
Pour, un jour, marier
Les mots canadiens aux rythmes de la France
Et l'érable au laurier.

PAUL MORIN

À l'aube de la Première Guerre mondiale, le champ littéraire québécois possède incontestablement une réalité et une histoire qui lui sont propres. Il a dépassé le stade du désir d'être et des premières tentatives de constitution. Entre 1895 et 1914, le champ trace ses contours et érige ses frontières. Une série de signes manifestent son existence et sa vitalité. Parmi les plus évidents, il faut souligner la multiplication des groupes — l'École littéraire de Montréal, la Société du parler français, les deux groupes les plus importants auxquels s'ajoutent, en raison de leur dimension prophétique, le «Soc» et l'«Encéphale[1]» — ainsi que l'apparition d'une véritable critique littéraire, professionnelle et professorale. La position dominante occupée à la fin de la période par Camille Roy ne doit pas faire oublier le rôle important joué par d'autres critiques, en particulier par Louis Dantin, Jules Fournier, Émile Chartier, Adjutor Rivard et Charles ab der

Halden. L'apport de ce dernier est capital, car, en plus de fournir au champ en voie de formation la caution du champ littéraire français, il fait obstacle à l'avancée du courant régionaliste en donnant un large écho au caractère novateur des œuvres d'Albert Lozeau et d'Émile Nelligan. Annette M. Hayward, dans l'étude qu'elle a consacrée au conflit des régionalistes et des «exotiques», affirme que «l'influence exercée par Halden sur la scène montréalaise entre 1904 et 1907 ne fait aucun doute[2]». Il s'agit d'une influence décisive qui ne peut cependant être attribuée qu'à la clairvoyance de ses articles mais qui doit aussi être rattachée aux retombées de sa querelle avec Jules Fournier.

Située en plein cœur de la période, à un moment où l'École littéraire de Montréal s'est tue, où les espoirs de la génération de 1895 semblent avoir été emportés dans la grande spirale nelliganienne, cette polémique cristallise brutalement tout le refoulé du champ. Elle réactive les craintes exprimées par Octave Crémazie à propos de l'inévitable situation de «colons littéraires» dans laquelle le fait de partager une même langue avec la France — et de l'écrire comme de la parler différemment — devait désavantager les écrivains québécois:

> Je le répète: si nous parlions huron ou iroquois, *les travaux de nos écrivains attireraient l'attention du vieux monde*. Cette langue mâle et nerveuse, née dans les forêts de l'Amérique, aurait cette poésie du cru qui fait les délices de l'étranger. On se pâmerait devant un roman ou un poème traduit de l'iroquois, tandis que l'on ne prend pas la peine de lire un volume écrit en français par un colon de Québec ou de Montréal[3].

À l'image de la correspondance échangée entre Octave Crémazie et l'abbé Casgrain, cet extrait montre à quel point la France semble «naturellement» la première destinataire de la production littéraire québécoise. À cet égard, les textes de la querelle Fournier/ab der Halden sont exemplaires de l'attitude ambivalente que l'ensemble du champ littéraire québécois continue à entretenir à l'égard de la littérature française.

L'autonomie et l'«habitus»

On ne saurait parler pour cette période, comme pour les périodes antérieures, d'autonomie littéraire. De manière avouée ou non, la littérature française habite et hante constamment le discours des uns et des autres. Jules Fournier et Olivar Asselin, bien qu'ils soient d'ardents patriotes, parmi les plus ardents défenseurs des intérêts nationaux des Québécois, ont — tout comme leurs amis les «exotiques» à qui ils ouvrent les colonnes de leur hebdomadaire *Le Nationaliste* —, en matière culturelle et littéraire, le regard tourné vers la France. Est-il nécessaire de rappeler que la première publication collective de l'École littéraire de Montréal, les *Soirées du Château de Ramezay,* qui paraît en mars 1900, porte la mention suivante: «À la France, à la mère patrie, ce livre est dédié[4]»? Louis Dantin, dans son commentaire critique sur Nelligan, souligne le mépris dans lequel le jeune poète tenait les éditeurs canadiens et l'espoir qu'il avait de voir ses poèmes édités à Paris[5]. En 1913, le premier recueil de René Chopin, *Le Cœur en exil,* contient lui aussi une dédicace à la France: «À ma patrie intellectuelle, ce recueil de vers qu'écrivit un vrai fils de France.»

Contrairement à l'idée reçue, pas plus les régionalistes que les «exotiques» n'arrivent à concevoir la littérature produite au Québec comme une littérature autonome, distincte de la littérature française. Dans un article consacré à Pamphile Lemay, Joseph-Évariste Prince fait une réflexion qui résume la position du *Bulletin du parler français* sur la question:

> J'ai feuilleté dernièrement une anthologie des poètes du terroir en France [*La Race et le Terroir* d'Albert Grimaud]; j'en ai aussi admiré bien des poèmes. Depuis une pensée m'obsède et c'est que la province de Québec, étant elle aussi une province de France, ne soit pas représentée dans le beau livre de M. Grimaud[6].

En 1912, au Premier Congrès de la langue française au Canada, Adjutor Rivard définit le projet de «nationalisation» littéraire de la Société et du *Bulletin* comme celui d'une «décentralisation littéraire[7]». L'objectif poursuivi est identique à celui des définisseurs de la littérature du terroir en France, à savoir soustraire les pratiques linguistiques et littéraires de la province à l'impérialisme parisien. Il n'est donc pas question, à l'époque, de couper le cordon ombilical avec la culture métropolitaine.

La référence à la France est, entre 1895 et 1914, généralisée. Elle ne se manifeste pas toujours de la même façon, ne privilégie pas les mêmes auteurs, les mêmes courants littéraires ni parfois les mêmes siècles, mais elle demeure l'une des grandes constantes de la pensée et du discours. La prégnance de ce recours à la France n'a rien d'étonnant. C'est l'attitude inverse — celle qui ferait fi de l'héritage français — qui serait étonnante. À l'époque, le champ littéraire québécois ne peut pas se concevoir sans concevoir en même temps le champ littéraire français, pour plusieurs raisons: les plus évidentes sont la fragilité de ses structures matérielles, éditoriales entre autres, le peu de prestige de ses rares instances de consécration, le manque de lecteurs — ce qui équivaut à une quasi-absence de marché pour les écrivains — et l'insécurité linguistique due à la situation d'infériorité politique et économique dans laquelle se trouvent alors les Canadiens français.

À ces conditions s'ajoute la force d'un mouvement qui porte «naturellement» ces descendants de Français à reproduire en matière de pratiques symboliques certaines attitudes de pensée héritées de leur passé, comme celle de reconnaître une *valeur* aux livres imprimés en France, sans qu'il soit nécessaire de les lire ni même de savoir lire. La notion d'«habitus[8]», au sens où Pierre Bourdieu l'a définie[9] — c'est-à-dire cet ensemble de prédispositions mentales acquises et intégrées, produit d'une histoire —, permet de saisir la radicalité du changement dans les habitudes de penser le monde que suppose l'idée d'une littérature nationale autonome, distincte de la littérature française. Le passage de la référence «naturelle» à la France en matière symbolique, en particulier littéraire, à l'«autoréférentialité» implique une transformation profonde du système de croyances et de valeurs.

Si aujourd'hui l'environnement médiatique peut favoriser une telle reconversion de l'«habitus», ce rôle, à l'époque, ne pouvait être assumé que par l'école. Comme elle assurait déjà la transmission des schèmes collectifs de penser le monde — schèmes qui, en raison des conditions de vie différentes, n'étaient déjà plus identiques à ceux des Français —, c'est elle qui allait devoir travailler à la reconnaissance des produits culturels nationaux. Camille Roy l'avait compris.

Nous avons vu, dans le dernier chapitre, comment la Société du parler français et son *Bulletin* ont réussi à imposer au champ une définition d'inspiration régionaliste grâce aux appuis qu'ils avaient dans le milieu de l'enseignement et aux activités lexicographiques encouragées dans les collèges classiques. Cette mise à contribution stratégique de l'école a favorisé la circulation de leurs idées linguistiques, littéraires et morales, mais elle a contribué parallèlement — et c'est là surtout que réside l'importance du rôle joué par les dirigeants de la Société du parler français dans la constitution du champ littéraire québécois — à modifier l'«habitus» de la future élite culturelle québécoise en lui faisant accepter l'«idée» d'une littérature nationale.

L'éthique et l'esthétique

Dans la foulée de cette action éducatrice et destinée principalement à revaloriser les particularités linguistiques du Québec, les responsables du *Bulletin* ont écarté, de la présentation de la littérature nationale et de son histoire, la valeur esthétique comme critère dominant dans la sélection des œuvres. Comme «langue et littérature» semblaient à l'époque un couple indissociable, les dirigeants de la Société du parler français se sont servis de l'exemple provincial français pour faire valider l'idée d'une littérature «éthique», c'est-à-dire plus soucieuse de témoigner des marques d'une identité nationale ou provinciale que de défendre une perfection formelle dont l'accès semblait lui être refusé par sa situation linguistique, plus précisément par la perception négative que l'on avait du français au Québec. La littérature française, principalement celle du XVIIᵉ siècle, se trouve alors, dans la logique discursive des tenants du régionalisme, à représenter la figure d'excellence de la langue et la maîtrise de la dimension esthétique, en somme à peu de chose près tout le prestige que l'«habitus» lui accordait déjà. À la littérature nationale revient la mission de conserver et d'illustrer les valeurs identitaires et religieuses que la littérature française contemporaine, tant en raison de l'éloignement physique que des divergences idéologiques, ne peut plus remplir auprès des Québécois.

Cette mise à distance de la France contemporaine, dénoncée par Charles ab der Halden dans la lettre à Louvigny de Montigny qui sert d'introduction à ses *Nouvelles Études sur la littérature canadienne française*, dissimule à peine la crainte qu'éprouvait l'élite cléricale québécoise face à la France républicaine et aux nouveaux courants littéraires jugés obscurs ou immoraux, contraires à l'esprit du Grand

Siècle et au génie de la langue. D'ailleurs, le vieux sentiment ultra-montain à l'égard du danger moral représenté par la littérature d'imagination n'est pas étranger au rôle de soutien dans lequel on cherche à confiner la pratique littéraire. Peu importe alors que la littérature nationale, à l'image de la langue parlée au Québec, soit «imparfaite», comme on le répète à satiété à l'époque, puisque sa détermination première n'est pas de l'être ni de le devenir dans un proche avenir. Évoquant la vocation d'historien littéraire national que Camille Roy avait commencé à suivre avec la publication de son ouvrage *Nos origines littéraires,* Émile Chartier prophétise ainsi sur l'avenir de la littérature québécoise:

> M. Roy n'aura plus alors qu'à esquisser les phases de *Notre Existence littéraire* à moins que notre maladresse ne le force à aborder aussitôt *Notre Décadence.* Quant à *Notre Perfection littéraire,* on peut craindre que ni lui ni d'autres n'aient de sitôt à en écrire l'histoire[10].

Cette sombre vision de la réalité et du destin littéraires du Québec se nourrit et contribue à nourrir — comme nous l'avons vu à travers la revue historique des opinions émises sur la nature et la qualité de sa langue écrite et parlée — les sentiments d'infériorité linguistique dans lesquels une situation historique et un cadre politique entretiennent le peuple québécois depuis la fin du XVIIIe siècle. La position littéraire de Camille Roy et des principaux définisseurs du régionalisme en est une d'accommodement linguistique. L'ambivalence du discours qui en résulte, où défaitisme et engagement se conjuguent, repose à n'en pas douter sur une double et contradictoire affirmation, à savoir celle de la fierté d'être le peuple dépositaire en Amérique de l'une des plus glorieuses langues du monde et celle de l'humiliation de devoir défendre à la fois la nécessité de sa survie et la légitimité de son écart d'avec l'usage français.

Cette retraduction dans le champ littéraire du malaise linguistique des Québécois, entreprise par les dirigeants du *Bulletin du parler français,* ne fait pas l'unanimité. Si le grand projet lexicographique de la Société suscite d'emblée l'adhésion générale, l'extension de son programme aux activités littéraires rencontre, elle, une réelle opposition. Plus tard, autour de la création de la revue *Le Nigog,* cette opposition se fera guerrière et vindicative mais, jusqu'en 1914, elle ne cherche pas tant à attaquer qu'à faire reconnaître une souveraineté aux pratiques littéraires. Ce groupe d'«opposants» dans lequel viennent se ranger, au fil des ans, les jeunes poètes de l'École littéraire de Montréal première manière, Nelligan en tête, les critiques Louis Dantin et Jules Fournier ainsi que le cercle des «exotiques», prône en fait une séparation des champs littéraire et linguistique et l'élaboration de stratégies d'action différenciées. Plus on avance dans la période étudiée, plus cette position se précise et se radicalise. Pour les journalistes de combat que sont Jules Fournier et Olivar Asselin — comme pour les jeunes auteurs qui collaborent au *Nationaliste* — la question linguistique est affaire d'État. Aussi leur nationalisme, à l'encontre de celui des dirigeants de la Société du parler français, empruntera-t-il la voie de l'action politique. Ils défendent la nécessité à la fois intellectuelle et linguistique des relations suivies avec la France contemporaine. Leur francophilie — puisqu'il faut bien admettre que l'ensemble des agents du champ en était atteint — est une francophilie non seulement avouée mais aussi cultivée. Si l'Art leur apparaît devoir être un territoire libre et souverain, leur patrie littéraire épouse les contours géographiques de la France et s'abrite sous le ciel de Paris. Lorsque Jean Charbonneau, en 1935, écrit l'histoire des débuts de l'École littéraire de Montréal, il évoque l'importance de la relation à la France. Sa profession de foi, même rétrospective et retouchée, résume assez fidèlement la position linguistique des opposants au régionalisme:

> Cette habitude contractée à tort qui porte à changer ou à altérer le sens des mots ou des expressions, ou à en créer à l'occasion, disent [les poètes de l'École littéraire de Montréal], nous séparerait fatalement de la langue maternelle, et nous finirions par parler et écrire un idiome particulier de plus en plus éloigné de nos sources originelles. Ceci nous inclinerait à nous donner un caractère autochtone dans le mauvais sens du terme, à nous affranchir de toute influence française, comme le veulent certains régionalistes, et, comme dangereuse conséquence, à nous faire perdre le trésor de nos traditions[11].

La position de Jean Charbonneau n'est sans doute pas étrangère aux discussions «linguistiques» qu'il avait eues avec Germain Beaulieu. Premier et dernier président de l'École littéraire de Montréal, Germain Beaulieu soutient, dans un article publié en juin 1909, que les Québécois devraient se doter d'une langue distincte, sur le modèle de ce que «les Américains ont fait de l'anglais[12]».

Le débat n'est pas sans parenté avec celui qui mobilisera les forces du champ dans les années soixante et que l'on désigne sous le nom de querelle du «joual». À un demi-siècle d'intervalle, la question de savoir quelle langue littéraire il faut utiliser refait surface ou plutôt acquiert une nouvelle urgence: langue savante/langue populaire, français standard/français québécois? Les deux époques se ressemblent d'ailleurs à bien des égards. On y observe dans les deux cas une grande effervescence à la fois nationaliste et littéraire. La France «redécouvre» le Québec et sa littérature à la faveur d'une conjoncture politique particulière: la perte de l'Alsace et l'exaltation de l'appartenance française pour la période 1895-1914; la guerre d'Algérie, et les théories de la décolonisation pour les années de la Révolution tranquille. La poésie s'impose comme genre dominant et des critiques, tels entre autres, Alain Bosquet et René Lacôte[13], reprenant le rôle de médiation joué par Charles ab der Halden, s'emploient à présenter à la France la nouveauté de cette poésie. Ces grandes similarités d'ensemble ne peuvent cependant masquer la radicale inversion idéologique qui s'y fait jour dans la politisation de l'enjeu littéraire. L'histoire de ce qui prépare souterrainement ce renversement reste à faire, comme reste à écrire l'histoire comparée de l'émergence des littératures sur le continent américain. À ce moment, il sera possible d'évaluer à sa juste mesure le rôle joué par la question linguistique dans le processus d'autonomisation des littératures dites «minoritaires». Chose certaine, cette question a déterminé la définition du littéraire national au Québec comme l'analyse des principaux textes critiques de la période 1895-1914 en amorce la preuve.

Chronologie générale de la période

1895-1914

ANNÉE	FAITS DE GÉNÉRATION	CHAMP LITTÉRAIRE
1860		Début du premier grand mouvement littéraire au Québec.
1862	Naissance d'Edmond de Nevers (Boisvert dit de Nevers) à la Baie-du-Febvre	
1867		
1868	Naissance d'Adjutor Rivard à Saint-Grégoire de Nicolet.	
1869	Naissance de Louis Dantin (pseudonyme d'Eugène Seers) à Beauharnois.	
1870	Naissance de Camille Roy à Berthier-en-bas, dans le comté de Montmagny	
1871	Naissance d'Albert Laberge à Beauharnois. Naissance de Charles Gill à Sorel.	
1872	Naissance d'Albert Ferland à Montréal.	
1873	Naissance à Roubaix en France de Charles ab der Halden.	
1874	Naissance d'Olivar Asselin à Saint-Hilarion, comté de Charlevoix.	Publication de l'*Histoire de la littérature canadienne* par Edmond Lareau.

CHAMP LINGUISTIQUE	CHAMP SOCIAL ET POLITIQUE	CHAMP FRANÇAIS
Entrée en vigueur de la constitution canadienne dite *Acte de l'Amérique du Nord britannique*. L'article 133 donne au français le statut de langue officielle.		
Début de l'affaire des Écoles du Nouveau-Brunswick.		

ANNÉE	FAITS DE GÉNÉRATION	CHAMP LITTÉRAIRE
1875	Naissance de Jean Charbonneau à Montréal. Naissance de madame Wilfrid-A. Huguenin, née Anne-Marie Gleason (pseudonyme: Madeleine) à Rimouski.	
1876	Naissance d'Émile Chartier à Sherbrooke. Naissance de Louvigny de Montigny à Saint-Jérôme.	
1878	Naissance d'Albert Lozeau à Montréal. Naissance de Lionel Groulx à Vaudreuil.	
1879	Mort du poète Octave Crémazie au Havre en France. Naissance d'Émile Nelligan à Montréal.	
1880	Naissance de Louis Hémon à Brest en France.	
1881	Naissance d'Édouard Montpetit à Montmagny.	
1882		Publication des œuvres complètes d'Octave Crémazie, y compris de sa correspondance avec l'abbé Henri-Raymond Casgrain.
1883	Naissance de Marcel Dugas à Saint-Jacques de l'Achigan.	

CHAMP LINGUISTIQUE	CHAMP SOCIAL ET POLITIQUE	CHAMP FRANÇAIS
Publication du *Glossaire franco-canadien et vocabulaire de locutions vicieuses usitées au Canada* d'Oscar Dunn.		Le poète Louis Fréchette reçoit un prix Montyon de l'Académie française.
		Sous l'impulsion de Jules Ferry, la France rend l'instruction obligatoire.

ANNÉE	FAITS DE GÉNÉRATION	CHAMP LITTÉRAIRE
1884	Naissance de Jules Fournier à Côteau-du-Lac, comté de Soulanges.	
1885	Naissance de René Chopin au Sault-au-Récollet.	
1886		Publication par les Clercs de Saint-Viateur du premier manuel d'*Histoire de la littérature française* édité au Québec.
1887		
1888	Naissance de Guy Delahaye (pseudonyme de Guillaume Lahaise) à Saint-Hilaire.	
1889	Naissance de Blanche Lamontagne aux Escoumins. Naissance de Paul Morin à Montréal. Naissance de Robert de Roquebrune au Manoir de L'Assomption.	
1890	Décès d'Edmond Lareau, auteur de l'*Histoire de la littérature canadienne,* à Montréal.	

CHAMP LINGUISTIQUE	CHAMP SOCIAL ET POLITIQUE	CHAMP FRANÇAIS
		Fondation de la revue *Paris-Canada* par Hector Fabre.
		Eugène Réveillaud publie *Histoire du Canada et des Canadiens.*
	Pendaison de Louis Riel, qui provoque de violentes réactions au Québec.	Victor du Bled publie, dans la *Revue des Deux-Mondes* à Paris, un long article sur «Une ancienne colonie française».
Napoléon Legendre publie *La Langue que nous parlons*. L'ouvrage sera repris en 1890 dans *La Langue française au Canada.*	Fondation de la librairie Granger.	Publication de *La Légende d'un peuple* de Louis Fréchette, préfacée par Jules Claretie.
Arthur Buies publie *Anglicismes et canadianismes.*		
		L'abbé Casgrain reçoit le prix Marcellin Guérin de l'Académie française pour son ouvrage *Le Pèlerinage au pays d'Évangéline.*
Dalton McCarthy dépose aux Communes une proposition de loi demandant l'abrogation du français dans les Territoires du Nord-Ouest.		

ANNÉE	FAITS DE GÉNÉRATION	CHAMP LITTÉRAIRE
1890 (suite)		
1892	Naissance de Léo-Paul Morin à Cap-Saint-Ignace, comté de Montmagny.	
1893		Création, à Montréal, du groupe des Six Éponges, premier élan donné au renouvellement littéraire du Québec.
1894	Naissance de Claude-Henri Grignon à Sainte-Adèle.	Réunion, tous les samedis, du groupe des Six Éponges au café Ayotte, rue Sainte-Catherine à Montréal.

CHAMP LINGUISTIQUE	CHAMP SOCIAL ET POLITIQUE	CHAMP FRANÇAIS
Début de la question des écoles du Manitoba qui se poursuivra jusqu'en 1897. Alphonse Lusignan publie *Fautes à corriger - Une chaque jour.* L'écrivain Faucher de Saint-Maurice publie *La Question du jour. Resterons-nous français?*		
Parution de *Réminiscences - Les Jeunes Barbares* d'Arthur Buies, à Québec. Faucher de Saint-Maurice publie *Honni soit qui mal y pense. Notes sur la formation du Franco-Normand et de l'Anglo-Saxon.*		
Le poète Louis Fréchette signe dans *La Patrie,* du 18 juillet 1893 à janvier 1896, une série d'articles intitulée «Corrigeons-nous».		Rémy de Gourmont publie *Les Canadiens de France.* Le premier, il dénonce le lieu commun qui voulait que l'on parlât au Québec «la langue de Racine».
Publication du *Dictionnaire canadien-français* de Sylva Clapin.		Création en France du ministère des Colonies. Dans un article intitulé «Les poètes français du Canada contemporain», Virgile Rossel affirme que la littérature québécoise «est en retard d'un quart de siècle et plus sur celle de la France».

ANNÉE	FAITS DE GÉNÉRATION	CHAMP LITTÉRAIRE
1895	Naissance de Philippe Panneton (Ringuet), à Trois-Rivières.	Fondation de l'École littéraire de Montréal.
1896	Naissance de Félix-Antoine Savard à Chicoutimi.	Émile Nelligan publie, sous le pseudonyme d'Émile Kovar, dans *Le Samedi,* ses premiers poèmes.
1897		Nérée Beauchemin publie son premier recueil, *Les Floraisons matutinales.* Ferdinand Brunetière donne une série de conférences sur la littérature française, à Montréal.
1898		Inauguration d'une «chaire de haute littérature», à l'Université Laval de Montréal, dont le premier titulaire fut Pierre de Labriolle. Première séance publique de l'École littéraire de Montréal, au Château de Ramezay. Conférences de René Doumic, à l'Université Laval de Montréal, sur la poésie lyrique française.

CHAMP LINGUISTIQUE	CHAMP SOCIAL ET POLITIQUE	CHAMP FRANÇAIS
Fondation du *Bulletin des recherches historiques* qui, dès le départ, publie des articles et des études sur le français canadien.		Vigile Rossel publie *Histoire de la littérature française hors de France* dont 73 pages sont consacrées à la littérature québécoise.
Raoul Rinfret publie *Dictionnaire de nos fautes contre la langue française*.	Fondation du Collège Loyola, à Montréal. Henri Bourassa entre pour la première fois à la Chambre des communes. Wilfrid Laurier, chef des libéraux, prend le pouvoir à Ottawa.	Publication à compte d'auteur, chez Henri Jouve à Paris, de *L'Avenir du peuple canadien-français* d'Edmond de Nevers.
	Félix-Gabriel Marchand, chef des libéraux, prend le pouvoir à Québec.	
Publication du texte de la conférence de Benjamin Sulte, *La Langue française au Canada*.		Hector Fabre présente Charles ab der Halden à l'abbé Casgrain, à Paris. La France est divisée à propos de l'affaire Dreyfus. De 1898 à 1901: séjour d'études de l'abbé Camille Roy à Paris.

ANNÉE	FAITS DE GÉNÉRATION	CHAMP LITTÉRAIRE
1899		Albert Lozeau publie son premier poème dans l'hebdomadaire *Le Monde illustré*. Émile Nelligan entre à l'Asile Saint-Benoît-Joseph-Labre, à Longue-Pointe.
1900	Naissance d'Alain Grandbois à Saint-Casimir de Portneuf.	Lancement des *Soirées du Château de Ramezay*, premier recueil collectif de l'École littéraire de Montréal.
1901	Mort d'Arthur Buies à Québec. Naissance d'Alfred DesRochers à Saint-Élie d'Orford, près de Sherbrooke.	
1902		Début de *La Nouvelle-France* et du *Journal de Françoise*. Louis Dantin fait paraître dans *Les Débats* son étude sur la poésie d'Émile Nelligan.

CHAMP LINGUISTIQUE	CHAMP SOCIAL ET POLITIQUE	CHAMP FRANÇAIS
Louis Fréchette reprend dans *La Presse,* du 21 octobre 1899 au 6 janvier 1900, une nouvelle série de «Corrigeons-nous».	Fondation du Parti ouvrier par J.-A. Rodier.	Conférence sur la littérature canadienne-française de Charle ab der Halden à Auteuil. Une comédienne de l'Odéon, madame Dufrène, récite des vers d'Octave Crémazie et de Louis Fréchette.
	Fondation des *Débats* dont les principaux rédacteurs sont Louvigny de Montigny et Armand Lavergne. (Dernier numéro: octobre 1904.)	Parution de *L'Âme américaine* d'Edmond de Nevers, ouvrage commenté par Ferdinand Brunetière dans la *Revue des Deux Mondes.*
Conférence de Jules-Paul Tardivel devant l'Union Catholique de Montréal: «La langue française au Canada». Le texte sera publié et largement distribué comme œuvre d'intérêt public par la Cie de publication de la *Revue canadienne.*		
Création d'un cercle de l'Alliance française à Montréal. Fondation à Québec, sous le patronage de l'Université Laval, de la Société du parler français au Canada. La Société du parler français fait paraître le premier numéro de son *Bulletin.*	Fêtes du 50e anniversaire de l'Université Laval.	

ANNÉE	FAITS DE GÉNÉRATION	CHAMP LITTÉRAIRE
1903		Albert Laberge fait paraître les premiers extraits de *La Scouine* dans le *Menu du Banquet des Journalistes*. Exil de Louis Dantin à Boston.
1904	Mort de l'abbé Henri-Raymond Casgrain à Québec.	Parution de *Marie Calumet* de Rodolphe Girard. Parution chez Beauchemin d'*Émile Nelligan et son œuvre*, recueil de 107 poèmes préfacé par Louis Dantin. L'abbé Camille Roy prononce devant la Société du parler français au Canada une conférence intitulée «La Nationalisation de la littérature canadienne».

CHAMP LINGUISTIQUE	CHAMP SOCIAL ET POLITIQUE	CHAMP FRANÇAIS
	Fondation de l'Association catholique de la jeunesse canadienne-française (A.C.J.C.) et du *Semeur,* organe de l'association qu'animeront les abbés Lionel Groulx, Émile Chartier et le R.P. Hermas Lalande. Olivar Asselin fonde, à Montréal, la Ligne nationaliste. Fondation de l'Association des journalistes canadiens-français. Frédéric-Liguori Béique fonde le journal *Le Canada.*	*L'Oublié* de Laure Conan reçoit un prix de l'Académie française.
	La société Saint-Jean-Baptiste fonde *La Libre Parole.* Condamnation du roman *Marie Calumet* de Rodolphe Girard par Mgr Bruchési, archevêche de Montréal. Olivar Asselin fonde le journal *Le Nationaliste.*	Publication d'*Études de littérature canadienne française* par Charles ab der Halden chez F.R. de Rudeval. William Chapman reçoit de l'Académie française le prix Arcachon-Despérouses pour son recueil *Les Aspirations.* Publications par S.-A. Lortie et A. Rivard de *L'Origine et le Parler des Canadiens français,* à Paris, chez l'éditeur Champion. Loi Combes en France qui provoque la séparation de l'Église et de l'État.

ANNÉE	FAITS DE GÉNÉRATION	CHAMP LITTÉRAIRE
1905	Naissance de Paul-Émile Borduas à Saint-Hilaire.	Louis Arnould occupe la chaire de littérature française à l'Université Laval de Montréal. Il occupera ce poste jusqu'en 1907. Début de l'*Inventaire chronologique des livres* de Narcisse-Eutrope Dionne.
1906	Mort d'Edmond de Nevers. Mort de Jules-Paul Tardivel à Québec.	L'abbé Camille Roy devient président de la Société du parler français au Canada. L'abbé Camille Roy donne son premier cours de littérature canadienne-française. Jules Fournier publie dans la *Revue canadienne* un texte intitulé «Comme Préface» qui ouvre la querelle avec Charles ab der Halden. Charles ab der Halden publie, dans la *Revue canadienne,* une lettre ouverte «à Monsieur Jules Fournier».
1907		Publication par Camille Roy du *Tableau de l'histoire de la littérature canadienne-française.* Publication par Camille Roy des *Essais sur la littérature canadienne.*

CHAMP LINGUISTIQUE	CHAMP SOCIAL ET POLITIQUE	CHAMP FRANÇAIS
	Fondation à l'Université Laval par l'abbé Stanislas-Alfred Lortie d'une Société d'économie sociale et politique. Débat à la Chambre des communes sur le statut linguistique de l'Alberta et de la Saskatchewan qui entrent la même année dans la confédération canadienne.	Inauguration à Saint-Malo du monument Jacques-Cartier. Charles ab der Halden reçoit le prix Bordin de l'Académie française pour ses *Études de littérature canadienne française.*
Publication de la *Bibliographie linguistique du Canada français* de James Geddes et Adjutor Rivard.	Parution de *L'Indépendance économique du Canada français* d'Errol Bouchette. Le Congrès de l'enseignement secondaire, tenu à Québec, inscrit la littérature canadienne au programme des examens du baccalauréat.	Première fête des poètes canadiens en Sorbonne, organisée par la *Revue des poètes* et présidée par Hector Fabre. Des artistes de la Comédie française récitent des poèmes d'Émile Nelligan et de Nérée Beauchemin.
	Québec décide de créer des Écoles techniques à Québec et à Montréal. Fondation de l'École des Hautes Études commerciales, à Montréal.	L'éditeur parisien F.R. de Rudeval fonde la collection «Bibliothèque canadienne». Parution de *L'Âme solitaire* d'Albert Lozeau, chez Rudeval à Paris.

ANNÉE	FAITS DE GÉNÉRATION	CHAMP LITTÉRAIRE
1907 (suite)		Jules Fournier publie «Réplique à M. ab der Halden» dans la *Revue canadienne*. Une courte lettre adressée à Jules Fournier par Charles ab der Halden et publiée dans la *Revue canadienne* met fin à la querelle. Guy Delahaye publie - pour la première fois sous ce pseudonyme - sept poèmes dans *La Patrie*, dont quatre dédiés à Émile Nelligan.
1908	Mort de Louis Fréchette à Montréal.	Damase Potvin publie *Restons chez nous*. Albert Ferland publie *Les Horizons*, premier livre du *Canada chanté*. Guy Delahaye fonde l'Encéphale, «société strictement secrète» pour esthètes. Guy Delahaye, Marcel Dugas et Jean-Baptiste Lagacé fondent le Soc, cercle littéraire d'étudiants ouvert au public.
1909		Première livraison de la revue *Le Terroir*, fondée par l'École littéraire de Montréal. Dix numéros paraîtront. Albert Ferland publie le *Terroir*, deuxième livre du *Canada chanté*.

CHAMP LINGUISTIQUE	CHAMP SOCIAL ET POLITIQUE	CHAMP FRANÇAIS
	Dans son Encyclique *Pascendi*, Pie X condamne «le modernisme intellectuel [...] synthèse de toutes les hérésies».	Publication de *Nouvelles Études de littérature canadienne française* de Charles ab der Halden.
	Armand Lavergne et Henri Bourassa font leur entrée à l'Assemblée législative du Québec.	
Publication du répertoire lexical de Narcisse-Eutrope Dionne: le *Parler populaire des Canadiens-français*.	Mandement de Mgr Bruchési qui condamne *La Scouine* (les extraits parus) d'Albert Laberge comme une «ignoble pornographie».	

ANNÉE	FAITS DE GÉNÉRATION	CHAMP LITTÉRAIRE
1909 (suite)		Publication par Camille Roy de *Nos origines litté-raires*.
1910	Mort d'Hector Fabre à Paris.	Parution du recueil *Les Soirs* d'Albert Dreux. Albert Ferland publie *L'Âme des bois*, troisième livre du *Canada chanté*, et *La Fête du Christ à Ville-Marie*. Les quatre livres sont réunis en un volume. Publication d'*Essais et Conférences* d'Henri d'Arles. Parution du recueil *Les Phases* de Guy Delahaye, à Montréal chez Déom.
1911		Départ de Marcel Dugas et de Léo-Paul Morin pour Paris. Publication de *Pages de combat*, recueil de textes critiques de l'abbé Émile Chartier.

CHAMP LINGUISTIQUE	CHAMP SOCIAL ET POLITIQUE	CHAMP FRANÇAIS
Le parlement du Québec adopte la «loi Lavergne» qui rend le bilinguisme obligatoire dans les services publics. À l'Église Notre-Dame à Montréal, Henri Bourassa répond à Mgr Bourne qui avait recommandé l'anglicisation de l'Église canadienne.	Édouard Montpetit, «le premier universitaire de carrière au Canada français», inaugure des cours de sciences économiques à la Nouvelle École des hautes études commerciales. Henri Bourassa fonde le journal *Le Devoir*. Congrès eucharistique de Montréal.	Pour la seconde fois, William Chapman reçoit le prix Arcachon-Despérouses de l'Académie française, cette fois pour son recueil *Les Rayons du Nord*. L'Académie française attribue «une part du prix Saintour» au *Bulletin* de la Société du parler français au Canada. Deuxième Fête des poètes français à l'étranger avec une forte participation canadienne. Émile Salone lit un texte de ab der Halden.
	Jules Fournier fonde le journal *L'Action,* hebdomadaire montréalais qui paraîtra pendant cinq ans.	Parution de *Théâtre à Montréal - Propos d'un Huron canadien* de Marcel Dugas, chez l'éditeur parisien Henri Falque. Louis Arnould donne à l'Université de Poitiers le premier cours universitaire à être donné en France sur la littérature québécoise. Parution du *Paon d'émail* de Paul Morin, à Paris, chez l'éditeur Alphonse Lemerre.

ANNÉE	FAITS DE GÉNÉRATION	CHAMP LITTÉRAIRE
1912	Mort à Québec de l'abbé Stanislas-Alfred Lortie, cofondateur de la Société du parler français au Canada. Naissance de Saint-Denys-Garneau à Montréal. Mort de Louis Hémon à Chapleau.	Départ pour Paris de Guy Delahaye. Publication par Camille Roy de *Propos canadiens.* Parution du premier recueil de poèmes de Blanche Lamontagne, *Visions gaspésiennes,* à l'imprimerie du Devoir. Parution du *Miroir des jours* d'Albert Lozeau à Montréal, à l'imprimerie du Devoir. Parution de *Mignonne, allons voir si la rose...* de Guy Delahaye, à Montréal chez Déom.
1913		Publication d'*Eaux fortes et tailles douces* d'Henri d'Arles.
1914		Publication de *Nouveaux Essais sur la littérature canadienne* de Camille Roy. Retour au Québec de Marcel Dugas et Léo-Paul Morin.

CHAMP LINGUISTIQUE	CHAMP SOCIAL ET POLITIQUE	CHAMP FRANÇAIS
Le gouvernement de l'Ontario adopte un règlement restreignant l'usage du français dans les écoles bilingues. Étienne Blanchard publie son premier ouvrage sur la langue intitulé *En garde!*.	Parution de *L'Appel de la race* de l'abbé Lionel Groulx.	Inauguration au Havre du monument Octave Crémazie. Jean Charbonneau publie *Les Blessures*, chez Alphonse Lemerre à Paris.
Fondation de la Ligue des droits du français.		Parution des *Sources de l'œuvre de Henry Wadsworth Longfellow* de Paul Morin chez l'éditeur parisien Émile Larose. Parution de *Cœur en exil* de René Chopin chez l'éditeur parisien Georges Crès.
		Parution en feuilleton du roman *Maria Chapdelaine* de Louis Hémon, dans le quotidien parisien *Le Temps*.

Tableau de l'évolution de la production littéraire entre 1895 et 1914

TITRES PUBLIÉS ENTRE 1895 ET 1914

Année	Roman	Poésie	Théâtre	Essai*	TOTAL
1895	3	1	1	37	42
1896	3	2	6	26	37
1897	1	2	1	32	36
1898	3	2	2	48	55
1899	3	1	4	30	38
1900	7	1	3	19	30
1901	4	1	-	14	19
1902**	1	3	6	22	32
1903	4	3	2	23	32
1904	1	3	1	20	25
1905	1	3	1	17	22
1906	3	6	1	19	29
1907	1	6	2	16	25
1908	5	5	6	23	39
1909	4	4	5	25	38
1910	3	12	3	29	47
1911	2	3	2	29	36
1912	6	9	1	29	45
1913	5	6	4	26	41
1914	3	8	-	18	29
TOTAL PAR GENRE:	63	81	51	502	637

Remarques: Ce tableau ne tient pas compte des rééditions. Il a été réalisé à partir des données contenues dans l'ouvrage de Sylvie Tellier, *Chronologie litté-raire du Québec. 1760 à 1960,* Québec, Institut québécois de recherche sur la culture, coll. «Instruments de travail», n° 6, 1982, 347 p.

*   Sont considérés comme relevant de la catégorie «essai»: le récit de voyage, les mémoires, les discours, les traités religieux, les relevés lexicographiques ainsi que les textes que nous considérons aujourd'hui comme des essais.

**   À partir de 1902, la poésie surclasse le roman, mais c'est en 1910 qu'elle connaît l'apogée de sa production.

Notes

INTRODUCTION

1. Dans un dossier publié par la revue *Québec français* (n° 76, hiver 1990), j'ai présenté un portrait des principales interventions d'écrivains qui ont marqué le débat linguistique des années 1986 à 1989.

2. Discours de réception publié dans la revue *Possibles,* vol. XI, n° 3, printemps-été 1987, p. 172-173.

3. L'année 1937-1938 semble vouloir s'imposer comme année charnière dans l'avènement d'une modernité culturelle au Québec. À plusieurs reprises, lors du colloque sur «la modernité» tenu à l'UQAM et dont les Actes ont été publiés par Yvan Lamonde et Esther Trépanier au printemps de 1986, cette coupure chronologique a été proposée (*L'Avènement de la modernité culturelle au Québec,* Québec, Institut québécois de recherche sur la culture, 1986, 319 p.). Faut-il rappeler que Jacques Ferron a situé son *Ciel de Québec* en 1937?

4. *Statuts de l'École littéraire de Montréal,* Montréal, Arbour et Dupont imprimeurs-éditeurs, 1900. (Document photocopié qu'a bien voulu mettre à ma disposition madame Bernadette Guilmette. Je la remercie.)

5. Voir à ce sujet mon article «Le procédé de la citation dans *Menaud*», Histoire de Menaud, numéro spécial de la *Revue d'histoire littéraire du Québec et du Canada français,* n° 13, 1987, les Presses de l'Université d'Ottawa, p. 59-64.

6. Dans *Mythe et Reflet de la France* (1987), Sylvain Simard démontre qu'entre 1850 et 1914 le Canada français «exerce avant tout son attrait sur les milieux traditionalistes, le plus souvent monarchistes et catholiques». Dans les années soixante, au contraire, l'intérêt viendra surtout des milieux associés à la gauche française.

CHAPITRE I: PRÉSENTATION DE LA DÉMARCHE

1. Définition opératoire adoptée par les membres du Centre de recherche en littérature québécoise (CRELIQ) de l'Université Laval.

2. «L'autonomisation de la littérature: sa taxinomie, ses seuils, sa sémiotique», dans *Études littéraires,* vol. XX, n° 1 (printemps-été 1987), Université Laval, p. 17-43 [v. p. 20].

3. «Histoire ou littérature?», *Sur Racine,* Paris, Seuil, coll. «Points», 1979, p. 145.

4. Conférence faite à l'Université Laval, le 5 décembre 1904, à l'occasion de la séance publique annuelle de la Société du parler français au Canada, et publiée dans

Essais sur la littérature canadienne (Montréal, Beauchemin, 1925 [1ʳᵉ édition, 1907], p. 187-201).

5. *Ibid.*, p. 190.

6. André Belleau, «La Démarche sociocritique au Québec», d'abord publié dans *Voix et Images* (Montréal, vol. VIII, n° 2, hiver 1983) puis repris dans l'anthologie de Jacques Pelletier, *Le Social et le Littéraire* (Montréal, Presses de l'Université du Québec à Montréal, coll. «Les Cahiers du département d'études littéraires», 1984, pp. 289-301).

7. Heinz Weinmann, *Du Canada au Québec. Généalogie d'une histoire,* Montréal, Éditions de l'Hexagone, 1987, 477 p.

8. Fernand Dumont, *Le Sort de la culture,* Montréal, l'Hexagone, 1987, 332 p. [v. p. 242].

9. «Institution et courants d'air», *Liberté,* n°134 (mars-avril 1981), p. 5-14 [v. p. 6].

10. Lire les réponses des écrivains au questionnaire que leur avait envoyé la revue *Liberté* sur leurs rapports avec «l'institution», *loc. cit.,* p. 93-118.

11. *Littérature et Institutions au Québec et en Belgique francophone,* Montréal/ Bruxelles, Presses de l'Université de Montréal/Éditions Labor, 1985, 272 p. Extrait de «Croisements», conversation entre Lise Gauvin et Jean-Marie Klinkenberg, p. 257. Je souligne.

12. Voir mon compte rendu de ces deux publications dans *Études littéraires,* vol. XX, n° 1 (printemps-été 1987), p. 189-192.

13. Pierre Bourdieu, «Le champ littéraire. Préalables critiques et principes de méthode», *Lendemains,* Berlin, n° 36 (Jahrgang 1984), p. 5-20 [v. p. 5]. Je souligne.

14. Émile Benveniste, *Problèmes de linguistique générale,* 2, Paris, Gallimard, coll. «Tel», 1974, 286 p. [v. p. 91].

15. Roland Barthes, *Le Degré zéro de l'écriture,* Paris, Seuil, coll. «Points», p. 11.

16. Bakhtine soutient que tout signe, y compris le signe linguistique, est idéologique.

17. Henry de Montherlant, *Service inutile,* Paris, Gallimard, 1935, p. 146. Phrase citée par Jean-Marcel Paquette dans «Réflexions sur l'enseignement des littératures minoritaires», *Écrits du Canada français,* n° 61 (1987), p. 127-138.

18. «Au morcellement féodal [correspondait] le morcellement linguistique.» Pierre Bourdieu et Luc Boltanski, «Le fétichisme de la langue», dans *Actes de la recherche en sciences humaines,* Paris, n° 4 (juillet 1975), p. 6.

19. *Ibid.,* p. 7.

20. Lire à ce sujet Michel de Certeau, Dominique Julia et Jacques Revel, *Une politique de la langue: la Révolution française et les patois. L'enquête de Grégoire,* Paris, Gallimard, coll. «Bibliothèque des histoires», 1975, 317 p.

21. Je fais allusion à *Épîtres, Satires, Chansons, Épigrammes et Autres pièces de vers* de Michel Bibaud, publié en 1830, où l'auteur dénonce le mal parler et le mal écrire de ses compatriotes:

«La paresse nous fait mal parler notre langue
Combien peu, débitant la plus courte harangue
Savent garder et l'ordre, et le vrai sens des mots.»

CHAPITRE II
CHAMP LITTÉRAIRE ET CHAMP LINGUISTIQUE: ÉTAT DES LIEUX

1. Albert Lozeau, *L'Âme solitaire*, Paris, F. R. de Rudeval, coll. «Bibliothèque canadienne», 1907, 223 p. (note de l'éditeur, p. I à III [v. p. I]).

2. Fernand Ouellette, «La lutte des langues», dans *Les Actes retrouvés*, Montréal, Éd. H.M.H., coll. «Constantes», 1970, 226 p. [v. p. 192]. Le texte est daté de 1964.

3. «Notes sur le poème et le non-poème», dans *L'Homme rapaillé*, Paris, Éd. François Maspero, coll. «Voix», 1981, 173 p. [v. p. 126-127]. Le texte est de 1965.

4. Auguste Dorchain, «Les poètes du Canada», *Les Annales politiques et littéraires*, tome L, n° 1309, (1908), p. 509-511 [v. p. 511].

5. Louis Arnould, «Sur la poésie canadienne», dans *Le Mois littéraire et pittoresque*, Paris, n° 115, (juillet 1908), p. 107. Je souligne. Rappelons que Louis Arnould donnera, à Poitiers en 1911, le premier cours universitaire sur la littérature du Québec. Le canevas de son cours est reproduit à la fin de son ouvrage, *Nos amis les Canadiens*, publié en France en 1913.

6. Auguste Dorchain, *loc. cit.*, p. 511. Je souligne.

7. Lucien Maury, «Les Lettres: œuvres et idées. La littérature canadienne-française», dans *Revue Bleue, Revue politique et littéraire*, Paris, n° 9 (31 août 1907), p. 283. Je souligne.

8. Virgile Rossel, *Histoire de la littérature française hors de France*, Paris/Lausanne, Payot et Alfred Schlochter, 1895, 531 p.

9. Lucien Maury, *loc. cit.*, p. 285.

10. Le *Times*, édition du 12 mars 1908. L'article est reproduit dans la *Revue d'Europe et d'Amérique*, Paris, tome XIX, n° 5 (mai 1908), p. 330 à 335. L'article est traduit par H. G., seule précision apportée par la revue.

11. Albert Lozeau, *L'Âme solitaire*, p. II.

12. L'universitaire français Ernest Martin écrit en 1934 que, «par politique, autant et plus que par ignorance, les Anglais ont [...], au siècle dernier, répandu partout le préjugé du «patois» canadien, dans l'intention évidente de dégoûter le Français de sa langue maternelle et de parvenir par ce moyen oblique à une assimilation qu'ils n'avaient pu réaliser jusque-là par la force brutale». («Le français des Canadiens est-il un patois?», *Ateliers de «L'Action catholique»*, 1934, p. 8 et 9. Cité dans *Le Québec par ses textes littéraires*, de Michel Lebel et Jean-Marcel Paquette, Paris/Montréal, Éd. France-Québec et Fernand Nathan, 1979, p. 125.)

13. «La littérature franco-canadienne jugée par le *Times*», traduit par H. G., dans *Revue d'Europe et d'Amérique, loc. cit.*, p. 333. Je souligne.

14. Ernest Martin, «Le français des Canadiens est-il un patois?» dans *Ateliers de «L'Action catholique»*, Québec, 1934, p. 8. (Texte cité dans *Le Québec par ses textes littéraires (1534-1976)*, de Michel Lebel et Jean-Marcel Paquette, p. 125.)

15. Avec le début des années soixante, les Québécois ont acquis une nouvelle conscience linguistique selon l'analyse du linguiste Jean-Denis Gendron – qui a provoqué l'acquisition d'une plus grande autonomie vis-à-vis du modèle français. Jean-Denis Gendron, «Aperçu historique sur le développement de la conscience linguistique des Québécois», *Québec français*, n° 61, mars 1986, p. 82-89. Fort de l'affirmation de son droit à la différence, le Québec s'est aussi, au moment de la Révolution tranquille, doté d'institutions comme l'Office de la langue française, qui

ont eu pour effet de rapatrier une partie de la légitimité normative autrefois entièrement détenue par Paris.

16. Dans la perspective des nouveaux rapports linguistiques que l'expansion démographique des anciennes colonies de l'Europe dans le Nouveau-Monde a provoqués, la situation des rapports France-Québec est unique. En effet, de toutes les colonies établies en Amérique, le Québec est la seule à n'avoir pas acquis son indépendance politique (la Conquête anglaise a en ce sens modifié le cours prévisible des relations avec la mère patrie) et la seule à ne pas présenter un profil démographique supérieur à celui du pays colonisateur. Cela modifie considérablement l'évolution linguistique. On le voit avec l'anglais, l'espagnol et le portugais.

17. Clément Moisan, professeur à l'Université Laval, a bien voulu mettre à ma disposition la volumineuse anthologie de textes de journaux et de revues français consacrés à la littérature du Québec qu'il a lui-même constituée lors de ses séjours en France et qui est demeurée à l'état de manuscrit. Je l'en remercie.

18. Michel Bibaud, *Épîtres, Satires, Chansons, Épigrammes et Autres Pièces de vers,* Montréal, Imprimé par Ludger Duvernay à l'Imprimerie de «la Minerve», 1830, 178 p. Réédition-Québec, 1969.

19. Isidore Lebrun est le premier auteur français à traiter de la vie littéraire au Québec. En 1833, il publie *Tableau statistique et politique des deux Canadas.* Un chapitre est consacré au journalisme et à la littérature. (Ces renseignements proviennent d'un article de David M. Hayne, «Cette ancienne colonie française...: la fortune des lettres québécoises en France jusqu'en 1945», dans *Lectures européennes de la littérature québécoise,* Montréal, Leméac, 1982, 387 p. [v. p. 93-107].)

20. *Bibliographie linguistique du Canada français,* de James Geddes et Adjutor Rivard (1906), continuée par Gaston Dulong, Québec/Paris, les Presses de l'Université Laval/Librairie C. Klincksieck, 1966, 166 p.

21. Si la rupture de ces relations ne fut pas totale comme l'a démontré Claude Galarneau dans son ouvrage *La France devant l'opinion canadienne, 1760-1815,* elle demeure dramatique. Les liens personnels entre Français et Canadiens qui ont continué jusqu'à la reprise des relations diplomatiques en 1859 n'ont pu pallier les difficultés inhérentes à un siècle d'isolement.

22. Alexis de Tocqueville, *Œuvres complètes,* tome V, *Voyages en Sicile et aux États-Unis,* texte établi, annoté et préfacé par J.-P. Mayer, Paris, Gallimard, 1957, 387 p. [v. p. 74 à 85]. Texte cité dans *Le Choc des langues au Québec. 1760-1970,* p. 139.

23. *Bibliographie linguistique du Canada français,* p. 11-12.

24. Sylva Clapin, *Le Canada,* Paris, Plon, 1885, 262 p.

25. Rémy de Gourmont, *Les Canadiens de France,* Paris, Firmin-Didot, 1893, 256 p. [v. p. 178-179].

26. Rémi de Marmande, «La littérature française au pays de Jacques Cartier», dans *Mercure de France,* t. 64, n° 225 (1er novembre 1906), p. 2-30.

27. Pierre de Labriolle, «Au Canada», *Revue latine,* 23 mars 1903, p. 169.

28. Chantal Bouchard, «De la «langue du grand siècle» à la «langue humiliée»: les Canadiens français et la langue populaire, 1879-1970», *Recherches sociographiques,* vol. XXIX, n° 1 (1988), p. 7-22.

29. De 1736 à 1960, la *Bibliographie* compte 983 entrées.

30. Ces chiffres proviennent de la *Bibliographie linguistique du Canada français,* ouvrage précédemment cité.

31. Les statistiques proviennent de la *Chronologie littéraire du Québec* de Sylvie Tellier, Québec, Institut québécois de recherche sur la culture, coll. «Instruments de travail», n° 6, 1982, 347 p.

32. «Où en sont les études sur le français canadien?», introduction à la *Bibliographie linguistique du Canada français*, p. XIX à XXXII [v. p. XIX].

33. Emmanuel Blain de Saint-Aubin, «Quelques mots sur la littérature cana-dienne-française», causerie lue devant la Société littéraire et scientifique d'Ottawa le 14 janvier 1871, et publiée dans la *Revue canadienne*, t. VIII (1871), p. 91-110. Le mot «patois» est en italique dans le texte.

34. Citation extraite de l'introduction au volume premier du *Dictionnaire des œuvres littéraires du Québec*, p. XXXVII.

35. Il faudrait pouvoir souligner ici le rôle capital qu'ont joué les journaux, les cabinets de lecture, les bibliothèques et les collèges classiques dans l'«éclosion» de l'École patriotique de Québec.

36. Peut-on vraiment parler de «champ littéraire» avant la période de 1860-1880? Il serait plus juste de parler de productions éparses dérivant à la périphérie du champ littéraire français ou encore, si l'expression n'était pas si déplaisante, d'un pré-champ pour indiquer le caractère non encore structuré de l'espace littéraire québécois de cette époque.

37. Allan Greer, «L'alphabétisation et son histoire au Québec. État de la ques-tion.», dans *L'Imprimé au Québec. Aspects historiques (XVIIIe-XXe siècle)*, sous la direction d'Yvan Lamonde, Québec, Institut québécois de recherche sur la culture, coll. «Culture savante», n° 2, 1983, 368 p. 76.

38. Casgrain eut l'idée d'associer l'école au développement de la littérature au Québec. En 1876, il réussit à convaincre Gédéon Ouimet, alors surintendant du dépar-tement de l'Instruction publique, de distribuer aux élèves en prix de fin d'année scolaire, non plus des ouvrages d'auteurs français mais bien des ouvrages d'auteurs canadiens.

39. *Bibliographie linguistique du Canada français*, p. XX.

40. David M. Hayne a fait ces observations lors du colloque sur la constitution de la littérature québécoise, organisé par le CRELIQ, et tenu à l'Université Laval, en juin 1988.

41. Jacques Blais, professeur à l'Université Laval, et son équipe, sont à terminer l'édition critique des lettres de Louis Fréchette. À l'occasion du colloque sur la consti-tution de la littérature québécoise au XIXe siècle évoqué précédemment, M. Blais ainsi que deux de ses assistants de recherche ont présenté les grands points d'intérêt de cette correspondance. Madame Hélène Marcotte, assistante de recherche, a bien voulu mettre à ma disposition le feuillet de son texte où figurent les extraits ci-dessus cités. Je l'en remercie.

42. Lettre à Paul Blanchemain, 28 novembre 1883.

43. Gérard Tougas, *Histoire de la littérature canadienne française*, p. 260, note 2.

44. Gaston Dulong, Introduction à la *Bibliographie linguistique du Canada fran-çais*, p. XXI-XXII.

45. Charles ab der Halden, «Lettre à Monsieur Jules Fournier», la *Revue cana-dienne*, 1906, p. 319.

46. *Premier Congrès de la langue française au Canada, Compte rendu*, Québec, Imprimerie de l'Action sociale limitée, 1913, p. 9 et 10.

47. *Le Choc des langues, op. cit.*, p. 354.

48. Gaston Dulong, Introduction à la *Bibliographie linguistique du Canada français*, p. XXIV. Je souligne.

CHAPITRE III
JULES FOURNIER ET CHARLES AB DER HALDEN: UNE QUERELLE EXEMPLAIRE

1. «Comme Préface», Québec, la *Revue Canadienne*, juillet 1906, p. 25.

2. «Réplique à M. ab der Halden», Québec, la *Revue canadienne,* février 1907, p. 128.

3. *Œuvres d'Octave Crémazie,* texte établi, annoté et présenté par Odette Condemine, Ottawa, Éditions de l'Université d'Ottawa, 1976, p. 74 [lettre du 10 avril 1866].

4. La publication en feuilleton suit d'un an l'écriture du roman. Rédigé du 19 au 26 décembre 1904, *Le Crime de Lachine* paraît dans le journal *Le Canada* du 23 décembre 1905 au 18 janvier 1906.

5. «Comme Préface», p. 28.

6. Tous les renseignements d'ordre biographique sont tirés de deux ouvrages: *Jules Fournier, journaliste de combat* d'Adrien Thério et *Ces écrivains qui nous habitent* (chapitre intitulé «Jules Fournier») d'Hermas Bastien.

7. Pour plus de détails concernant la vie et l'œuvre de Charles ab der Halden, voir *Portrait d'un inconnu. Biographie de Charles ab der Halden,* à paraître prochainement à l'Hexagone.

8. «À monsieur Jules Fournier», *La Revue canadienne,* octobre 1906, p. 316.

9. Ce reproche vient principalement du poète Albert Lozeau et de la journaliste Françoise qui ont défendu en matière littéraire des positions curieusement assez voisines de celles de Jules Fournier.

10. C'est le titre de l'essai d'Adrien Thério: *Jules Fournier, journaliste de combat* (Montréal et Paris, Fides, 1954, 245 p.).

11. «*Nos origines littéraires* par l'abbé Camille Roy», *Le Nationaliste,* 18 juillet 1909, et surtout «Que ceux qui ont des yeux voient», *L'Action,* 10 août 1912. Ces deux textes font partie du recueil d'articles intitulé *Mon encrier,* Montréal et Paris, Fides, coll. du Nénuphar, 1965, 350 p. La première édition fut publiée par les soins de Madame Jules Fournier en 1922.

12. Hermas Bastien, «Jules Fournier», dans *Ces écrivains qui nous habitent,* Montréal, Beauchemin, 1969, 227 p. [v. p. 47].

13. *Mon encrier,* p. 317-330 et p. 339-347.

14. «Réplique à M. ab der Halden», p. 133.

15. *Ibid.,* p. 135.

16. «Comme Préface», page 26.

17. «La langue française au Canada», deuxième lettre, *Mon encrier,* p. 343.

18. *Ibid.,* p. 344.

19. «À M. Louvigny de Montigny, agent général de la Société des Gens de lettres au Canada», *Nouvelles Études de littérature canadienne française,* p. I à XIV.

20. «À M. Louvigny de Montigny», p. XIII.

21. «Comme Préface», p. 25.

22. «À Monsieur Jules Fournier», p. 321.

23. *Ibid.*, p. 315. Je souligne.

24. *Ibid.*, p. 316.

25. *Ibid.*, p. 322.

26. Virgile Rossel dans son *Histoire de la littérature française hors de France,* parue à Paris en 1895, avait établi une sorte d'échelle d'autonomisation des littératures canadienne, suisse et belge sur laquelle la littérature du Québec venait loin derrière ses consœurs.

27. «À Monsieur Jules Fournier», p. 322.

28. «Comme Préface», p. 25.

29. *Ibid.*, p. 129-130.

30. «Adieu, Musette!», *La Veillée aux Armes,* Paris, A. Lemerre, 1899, p. 93 à 95.

31. «Comme Préface», p. 27 et 31.

32. L'expression est d'André Langevin.

33. «Comme Préface», p. 25-26. Je souligne.

34. «Réplique à M. ab der Halden», p. 130.

35. Je pense aux entrevues qu'il a réalisées avec Henri de Rochefort et Mistral. Voir *Mon encrier,* p. 165-173 et p. 174-180.

36. Inventaire que l'on peut trouver dans la biographie de Fournier par Adrien Thério aux pages 177-179.

37. Renald Bérubé, «Jules Fournier: trouver le mot de la situation», *L'Essai et la prose d'idées au Québec,* p. 377.

38. *Anthologie des poètes canadiens,* composée par Jules Fournier et mise au point et préfacée par Olivar Asselin, Montréal, [s.é.], 1920, 309 p. [v. p. 8].

39. Jacques Blais, «*Anthologie des Poètes canadiens* compilée par Jules Fournier», dans le *Dictionnaire des œuvres littéraires du Québec,* tome II, p. 47- 49.

40. «Réplique à M. ab der Halden», p. 128. Dans sa première lettre à Fournier, Halden avait apporté les œuvres de ces auteurs comme preuves de l'existence de la littérature canadienne-française. «À Monsieur Jules Fournier», p. 320-321.

41. Fournier soutient aussi la parution des premières œuvres des «exotiques» (celles de Delahaye, Chopin et Morin). À ce moment, Charles ab der Halden est en Algérie et ne se soucie apparemment plus du destin littéraire du Québec.

42. A. E. Proulx, «Nouvelles Études», *Le Passe-Temps,* Montréal, vol. LIV, n° 340 (4 avril 1908), p. 123-124 [p. 123].

43. Article cité dans *Le Canada* (Montréal, 15 avril 1907, p. 4). Article anonyme.

44. Albert Lozeau, «La littérature canadienne-française», *Le Canada,* 15 avril 1907, p. 4.

45. Fernand Rinfret, «Une littérature nationale», *Le Canada,* 10 janvier 1907, p. 4, et surtout «Littérature canadienne-française. Les vieux et les jeunes», *Le Canada,* 11 avril 1907, p. 4.

46. «La littérature canadienne-française», *loc. cit.* Je souligne.

47. «Le livre de M. ab der Halden», *Le Journal de Françoise,* 16 novembre 1907, p. 246-247, [p. 246].

48. L. H., «*Nouvelles Études de littérature canadienne française* par Charles ab der Halden», *Le Soleil,* 15 août 1907, p. 4. L'article semble être une collaboration spéciale.

49. Anonyme, «Notre critique», *Le Soleil,* 16 février 1907, p. 2.

50. Tomes LII et LIII.

51. «À Monsieur Jules Fournier», lettre du 12 septembre 1906, p. 315.

52. «Revue bibliographique», *Revue d'Europe et des colonies,* octobre 1906, p. LVIII.

53. «Bulletin bibliographique et littéraire», *Revue d'Europe et des colonies,* novembre 1906, p. LXXIX.

54. Camille Roy, *Essais sur la littérature canadienne,* «Introduction», p. 5 à 28.

55. Camille Roy donne la référence des deux textes de Fournier.

56. «Introduction», *op. cit.,* p. 10.

CHAPITRE IV: CAMILLE ROY, LE GRAND PROGRAMMATEUR

1. Avant 1914, les trois recueils principaux demeurent *Nos origines littéraires,* les *Essais* et les *Nouveaux Essais.* Par la suite, Camille Roy fera paraître sept autres volumes de chroniques et d'articles: *Érables en fleurs,* 1923; *À l'ombre des érables,* 1924; *Études et Croquis,* 1928; *Regards sur les lettres,* 1931; *Poètes, Historiens et Romanciers de chez nous,* 1934-1935. Ses discours seront reproduits dans les recueils suivant: *Les Leçons de notre histoire,* 1929; *Pour conserver notre héritage français,* 1937; *Pour former des hommes nouveaux,* 1941; *Semences de vie,* 1943 et *Du fleuve aux Océans,* 1943.

2. «De la nationalisation de la littérature canadienne», conférence publiée dans les *Essais sur la littérature canadienne,* p. 187 à 201.

3. «Critique et littérature nationale», *Regards sur les lettres,* Québec, L'Action sociale limitée, 1931, p. 216.

4. Pierre Bourdieu, «La production de la croyance: contribution à une économie des biens symboliques», *Actes de la recherche en sciences sociales,* n° 3, février 1977, p. 42.

5. «Après la parution du *Manuel d'histoire de la littérature canadienne-française,* en 1918, on a pu parler de Camille Roy comme de celui qui avait donné à la littérature nationale ses lettres patentes: la critique et l'histoire.» Lucie Robert, 1982, p. 137.

6. La précision, comme tous les renseignements d'ordre biographique de ce chapitre, provient de l'ouvrage de Lorenzo Pouliot: *Bio-bibliographie de Mgr Camille Roy,* p. 13.

7. *Bio-bibliographie de Mgr Camille Roy,* p. 14.

8. Les textes de ces cinq conférences données à l'Institut canadien de Québec en 1917-1918 furent publiés sous le titre de: *La Critique littéraire au dix-neuvième siècle. De Mme de Staël à Émile Faguet.* Québec, Imprimerie de l'Action sociale, 1918, 236 p.

9. «Deuxième conférence. Villemain ct Sainte-Beuve», *ibid.,* p. 75.

10. «Quatrième conférence. Taine et Brunetière», *ibid.,* p. 173.

11. *Ibid.,* p. 177.

12. Il s'agit de l'intitulé du chapitre II, 1610-1722 (p. 106-278), du *Manuel de l'histoire de la littérature française,* 8ᵉ édition (1ʳᵉ édition: 1897), Paris, Librairie Delagrave, 1921, 531 p. Dans la conclusion de ce *Manuel,* Brunetière tient des propos que, *mutatis mutandis,* Camille Roy reprendra, les réadressant à la littérature canadienne:

> Nous, au contraire, la socialisation de la littérature, si j'ose hasarder ce barbarisme expressif, c'est ce qui nous a permis dans le passé, non seulement, comme on l'a vu, de résister à l'influence étrangère, et de n'en retenir que ce que nous pouvions approprier aux fins de notre génie, mais encore d'exercer dans le monde la domination

intellectuelle que nous y avons exercée plus souvent qu'aucun peuple. Et enfin, si le propre d'une littérature «sociale» est de tendre, comme on l'a dit, au «perfectionnement de la vie civile» ou, comme nous dirions de nos jours, au progrès de la civilisation, que pourrions-nous ajouter de plus? Nous avons depuis quatre cents ans, dans notre littérature et dans notre langue même, les moyens de travailler ensemble à la grandeur du nom français et au bien commun de l'humanité. Qui ne sacrifierait à ce généreux idéal un peu de son «individualisme», et l'étrange vanité d'être seul à s'admirer ou à se comprendre lui-même? (p. 523-524.)

13. *La Critique littéraire au dix-neuvième siècle*, p. 219-220.

14. Nicolas Boileau, *Œuvres*, préface et notes par Georges Mongrédien, Éditions Garnier Frères, coll. «Classiques Garnier», 1961, 399 p. [v. p. 185].

15. *La Critique littéraire au dix-neuvième siècle*, p. 92. Je souligne.

16. *Tableau de l'histoire de la littérature canadienne-française*, p. 33.

17. *Ibid.*, p. 21.

18. *Ibid.*, p. 79.

19. *Manuel d'histoire de la littérature canadienne de langue française*, p. 168. Ailleurs, il qualifie *L'Histoire* de Lareau d'«ouvrage très documenté, un peu indigeste et composé d'après une méthode parfois défectueuse» mais tout de même «extrêmement précieux» du fait qu'il soit, au moment où Camille Roy rédige cette note, «le premier travail d'ensemble et le seul». «Étude sur l'histoire de la littérature canadienne», *Bulletin du parler français au Canada*, vol. II, n° 5 (janvier 1904), p. 131, note 1.

20. «L'abbé Henri-Raymond Casgrain», *Essais sur la littérature canadienne*, p. 57. L'article est daté de novembre 1904: l'abbé Casgrain était décédé en février de cette année-là.

21. *Ibid.*, p. 53.

22. Commentaire cité, sans référence précise, dans la *Bio-bibliographie de Mgr Camille Roy*, p. 15.

23. *Essais de littérature canadienne*, Introduction intitulée «Notre critique litté-raire», p. 20.

24. *Ibid.*, p. 14.

25. *Manuel d'histoire de la littérature canadienne de langue française*, p. 171. Il s'agit ici de la huitième édition, celle de 1940.

26. «Notre critique littéraire», *op. cit.*, p. 20-21.

27. *L'Université Laval et les Fêtes du cinquantenaire*, Québec, Dussault et Proulx, 1903, 395 p. Édition originale tirée à 1200 exemplaires. Le premier chapitre de cet ouvrage a paru dans la *Revue canadienne*, vol. 23, 1903, p. 349-374. Ces préci-sions sont tirées de la *Bio-bibliographie de Mgr Camille Roy*, p. 24.

28. *Op. cit.*, p. 5.

29. *Tableau de l'histoire de la littérature canadienne-française*, p. 7-8.

30. *Bio-bibliographie de Mgr Camille Roy*, p. 25.

31. Les chiffres des divers tirages du *Manuel* sont encore plus impressionnants. Même s'ils concernent une publication parue hors de la périodisation de notre recherche, ils permettent de mesurer l'influence de l'auteur sur la formation du discours littéraire au Québec et la durée de cette influence:

1- *Manuel d'histoire de la littérature canadienne-française*, Québec, l'Imprimerie de l'Action sociale, 1918, 10-120 p. (troisième édition par rapport aux deux éditions du *Tableau*). Tiré à 3 000 exemplaires;

2- Quatrième édition revue et mise à jour, 1920 (c1917), tiré à 4 000 exemplaires;

3- Cinquième édition revue et mise à jour, 1923 (c1917), tiré à 9 000 exemplaires;

4- Sixième édition, revue et mise à jour, 1925 (c1917), tiré à 9 000 exemplaires;

5- *Histoire de la littérature canadienne,* septième édition revue et mise à jour, (c1930), tiré à 8 000 exemplaires. Il a par de ce livre une double édition, l'une contenant une section sur la littérature canadienne-anglaise, l'autre uniquement consacrée à que la littérature canadienne-française; (réimprimé en 1936 et tiré à 1 000 exemplaires);

6- *Manuel d'histoire de la littérature canadienne de langue française,* huitième édition revue et mise à jour, (c1939), tiré à 3 000 exemplaires; (réimprimé en 1940 et tiré à 1 000 exemplaires);

7- Neuvième édition revue et mise à jour, 1942 (c1939), tirage non disponible;

8- Dixième édition revue et mise à jour, 1945 (c1939), tirage non disponible (réimprimé jusqu'en 1962);

Ces chiffres proviennent de l'essai de Lucie Robert sur le *Manuel d'histoire de la littérature de Mgr Camille Roy,* p. 80-81.

32. «Étude sur l'histoire de la littérature canadienne», *Bulletin du parler français au Canada, loc. cit.*

33. Le premier numéro du *Bulletin du parler français au Canada* présente le programme général de la Société ainsi que la composition du premier Bureau de direction (vol. I, n° 1, p. 4). Les directeurs, outre Camille Roy, sont «l'honorable Thomas Chapais, M. le docteur A. Vallée, MM. J.-P. Tardivel et J.-E. Prince».

34. Le «Comité du *Bulletin*» était au départ composé de «MM. S.-A. Lortie, Eug. Rouillard et Adjutor Rivard», *op. cit.,* p. 4.

35. «Étude sur l'histoire de la littérature canadienne», p. 129. Je souligne.

36. *Ibid.,* p. 130.

37. *Ibid.,* p. 130.

38. Virgile Rossel, *Histoire de la littérature française hors de France,* Paris/ Lausanne, Payot et Alfred Schlachter, 1895, p. 292. Je souligne.

39. Si Camille Roy ne fait aucune allusion au livre de Rossel, on ne peut douter qu'il en avait pris connaissance. Son confrère critique Émile Chartier juge, lui, «l'ouvrage peu recommandable par l'esprit qui l'anime», *Pages de combat,* p. 110.

40. *Essais sur la littérature canadienne,* p. 17.

41. Camille Roy, *Nos origines littéraires,* p. 40.

42. «M. de Labriolle et le parler français au Canada», *Bulletin du parler français au Canada,* vol. I, n° 9 (mai 1903), p. 173.

43. «Notre langue et notre littérature», *Études et Croquis,* p. 72. Les mots soulignés sont en italique dans le texte.

44. *Ibid.,* p. 76-77.

45. «La langue française au Canada», *Bulletin du Parler français au Canada,* janvier 1903, p. 86.

46. Camille Roy, «La Nationalisation de notre littérature», *Essais sur la littérature canadienne*, p. 191.

47. Roland Barthes, *Le Degré zéro de l'écriture*, suivi de *Nouveaux Essais critiques*, Paris, Seuil, coll. «Points», 1972, 187 p. [v. p. 10].

48. Frère Ludovic, *op. cit.*, p. 22.

49. Émile Chartier, «La Critique littéraire au Canada», *Premier Congrès de la langue française au Canada, Mémoires*, p. 479. Je souligne.

50. Claude Lafarge, *La Valeur littéraire*, p. 38. Je souligne.

51. *Compte rendu du Premier Congrès de la langue française au Canada*, p. 343.

52. *Essais sur la littérature canadienne*, p. 90.

53. Lucie Robert, *Le Manuel d'histoire de la littérature canadienne de Mgr Roy*, p. 111.

54. Paul Wyczynski, «Essai sur la littérature des origines à 1960», dans *L'Essai et la prose d'idées au Québec*, p. 90.

55. «La Nationalisation de la littérature canadienne-française», p. 119.

56. *Ibid.*, p. 120.

57. *Ibid.*, p. 121.

58. *Ibid.*, p. 123. Je souligne.

59. *La Critique littéraire au dix-neuvième siècle*, p. 52.

60. «Notre langue et notre littérature», *Études et Croquis*, p. 82-83.

61. *Nos origines littéraires*, p. 58. Je souligne.

62. *La Critique littéraire au dix-neuvième siècle*, p. 46.

63. Jules Janin, Préface des *Contes nouveaux* dans *Œuvres diverses*, tome 1, p. XLV, cité par Roger Fayolle, dans La *Critique*, Paris, Librairie Armand Colin, coll. U, 1964, p. 99.

CHAPITRE V
LA GUERRE DES APPARTENANCES: AVANT-GARDE ET REGIONALISME

1. Camille Roy, *Manuel d'histoire de la littérature canadienne de langue française*, p. 100.

2. *Ibid.*

3. Quatre publications récentes ont permis de nuancer l'impression monolithique qui se dégageait jusque-là de la production littéraire du premier tiers du XXe siècle:

- Yvan Lamonde et Esther Trépanier, *L'Avènement de la modernité culturelle au Québec* (Actes d'un colloque tenu à l'UQAM), Québec, Publication de l'Institut québécois de la recherche sur la culture, 1986, 319 p.

- «Archéologie de la modernité. Art et littérature au Québec de 1910 à 1945», revue *Protée*, vol. XV, n° 1 (hiver 1987), publication du Département des arts et lettres de l'Université du Québec à Chicoutimi, 178 p.

- *Le Nigog, Archives des lettres canadiennes*, tome VII, publication du Centre de recherche en civilisation canadienne-française de l'Université d'Ottawa, Ottawa, Fides, 1987, 388 p.

- Robert Lahaise, *Guy Delahaye et la modernité littéraire*, Montréal, Hurtubise HMH, coll. Cahiers du Québec/littérature, 1987, 549 p.

4. Sous le titre *Apologies*, Marcel Dugas a regroupé en 1919 une série d'articles consacrés à ses poètes préférés, ses amis «dévoués à l'idéal». Marcel Dugas, *Apologies*, Montréal, Paradis-Vincent éditeurs, 1919, 110 p.

5. *La Presse*, 12ᵉ année, nᵒ 19, 23 novembre 1895, p. 12. Ce court article intitulé «Une école de littérature» constitue, selon madame Bernadette Guilmette qui a bien voulu le porter à mon attention, le premier texte journalistique consacré à l'École littéraire de Montréal.

6. Le fait n'a rien d'étonnant pour l'époque. Dans l'introduction au tome premier du *Dictionnaire des œuvres littéraires du Québec,* Maurice Lemire note que «si la littérature en général jouit d'un préjugé favorable [il est question ici des années 1860] la littérature nationale ne parvient pas à gagner la sympathie du public.» Maurice Lemire, quelques lignes plus loin, précise: «Les intellectuels, qui fréquentent volontiers les auteurs français, ignorent les productions autochtones», *Dictionnaire des œuvres littéraires du Québec,* tome I, p. XVII.

7. *Statuts de l'École littéraire de Montréal,* Montréal, Arbour & Dupont imprimeurs-éditeurs, 1900, 12 p. [v. p. 3]. Bien que la publication soit de 1900, ces «Statuts» ont été adoptés dès 1895.

8. Les renseignements sur l'Alliance française proviennent de l'ouvrage commémoratif de Maurice Bruézière, *L'Alliance française, 1883-1983. Histoire d'une institution,* Paris, Hachette, 1983, 247 p.

9. Extrait de «l'École littéraire de Montréal. Origines. – Évolution. – Rayonnement», M. Paul Wyczynski, dans *L'École littéraire de Montréal,* Ottawa, *Archives des Lettres canadiennes,* tome II, Fides, 1972, 351 p. [v. p. 15].

10. Il apparaît évident que l'Alliance française a éprouvé des difficultés à s'implanter au Québec. Maurice Bruézière n'en parle pas mais il écrit que, pour la décennie 1890-1900, «en Amérique du Nord, la progression est lente mais réelle» (*ibid.,* p. 41). Il poursuit: «Au Canada, tandis que le délégué général à Québec entreprend à partir de 1890, un «glossaire destiné à corriger les anglicismes et les locutions vicieuses qui menacent de corrompre la pureté de la langue» telle qu'elle est parlée sur place, un comité provisoire se forme à Montréal, en 1899, et une seconde délégation est ouverte à Vancouver en 1890. De son côté, le Conseil d'administration de Paris, à la fin de 1899, envoie en mission, sur le continent nord-américain, trois de ses membres (dont le conseiller d'État Louis Herbette) et ceux-ci en rapportent l'impression que, si la province de Québec, est «déjà toute française», la Nouvelle Angleterre «le devient».» *Ibid.,* p. 41. Rappelons que Louis Herbette signe en 1904 la longue introduction de 104 pages qui accompagne les *Études de littérature canadienne-française* de Charles ab der Halden. Si en France, Louis Herbette, surnommé «l'oncle», jouit de l'estime des Canadiens de passage, il n'en est pas de même au Québec. Les idées trop libérales de l'homme déplaisent. Dans l'accueil fait à l'Alliance française comme à Louis Herbette, la question de l'allégeance religieuse joue un rôle de premier plan. Le parti pris non confessionnel de l'Alliance, qui par ailleurs demeure une institution plutôt conservatrice, est probablement la cause de ses difficultés d'implantation au Québec.

11. Cité dans *Nos origines littéraires,* p. 63. Voici ce qu'en dit Camille Roy: «Ces intellectuels avaient voulu mettre en commun leurs efforts et leurs talents, et ils formèrent à Montréal une société littéraire, à laquelle ils donnèrent solennellement le nom d'Académie; et plusieurs d'entre eux, quand ils signent leurs articles, ne manquent pas d'ajouter à leur pseudonyme: membre de l'Académie», *ibid.,* p. 66.

12. Annette Hayward, «La presse québécoise et sa (ses) littérature(s): 1900-1930», *Problems of literary reception/ Problèmes de réception littéraire,* Alberta, edited by E.D. Blodgett and A.G. Purdy, University of Alberta, Research Institute for Comparative Literature, 1988, 196 p. L'article de madame Hayward couvre les pages 40 à 48.

13. Cité dans «L'École littéraire de Montréal» par Paul Wyczynski, *op. cit.,* p. 26.

14. *Le Nationaliste,* 10 juillet 1910, p. 1. Cité dans le même article de Paul Wyczynski, p. 27.

15. «Discours de l'honorable Sir A.-B. Routhier», *Premier Congrès de la langue française au Canada. Compte rendu,* p. 235.

16. «Société du parler français au Canada», *Bulletin du parler français,* vol. II, n° 1 (septembre 1903), p. 3.

17. «La Société du parler français au Canada», *Premier Congrès de la langue française, Compte rendu,* p. 229.

18. Camille Roy, «Les Formes dialectales du franco-canadien à l'école», *Premier Congrès de la langue française,* Mémoires, p. 271. Je souligne.

19. Dans son dixième numéro, le *Bulletin du parler français* reproduisait cet extrait d'un texte paru en France dans le *Calvados* du 3 avril 1903 et signé De Saint-Jehan: «*Les mots créés au cours des siècles par les paysans, bien que non compris sous la tour Eiffel,* n'en sont pas moins des fleurs délicates de notre français historique et du plus pur [...] Il est grand temps d'en retarder l'abolition brutale et sacrilège; car les parlers [...] sont des racines profondes, où s'alimente la souche puissante du français au vieux sol des aïeux.» «Echos et nouvelles», *Bulletin du parler français,* vol. I, n° 10 (juin, juillet et août 1903), p. 196. Je souligne.

20. Adjutor Rivard, «La Société du parler français au Canada», *op. cit.,* p. 234. Cette identification à la situation linguistique des provinces de France trouvera son prolongement «naturel» dans la production littéraire régionaliste.

21. Parlant des écrivains régionalistes français, Émile Chartier écrit ceci: «Leurs œuvres reproduisent des impressions locales, décrivent l'existence de la province, restaurent le langage de ses habitants [...], en un mot exhibent un corps alsacien, breton, provençal ou vendéen...», *Pages de combat,* Montréal, Imprimerie de l'École catholique des sourds-muets, 1911, 338 p. [v. p. 109].

22. Adjutor Rivard, «La Société du parler français», *op. cit.,* p. 234.

23. *Loc. cit.,* p. 234.

24. *Ibid.,* p. 235.

25. *Ibid.,* p. 231-232. Ces propos d'Adjutor Rivard illustrent les fondements défensifs de la Société du parler français que nous évoquions au deuxième chapitre de cette étude.

26. Ce texte sera repris dans *Propos canadiens.*

27. Adjutor Rivard, *Chez nous,* Québec, l'Action sociale catholique, 1914, 145 p. Quatre ans plus tard, Rivard récidive avec *Chez nos gens.* Les deux recueils sont réunis en 1919 sous le titre de *Chez nous, chez nos gens.*

28. *Nos origines littéraires, op. cit.,* p. 7. La citation complète se lit ainsi: «L'histoire de la langue d'un peuple et l'histoire de sa littérature ont plus d'un rapport nécessaire, et cette double histoire pouvait donc être simultanément racontée dans les pages du *Bulletin.*»

29. Selon l'expression même de la Société du parler français au Canada.

30. Le premier Bureau de direction de la Société, élu à la séance du 18 février 1902, était composé ainsi: Mgr O.-E. Mathieu, recteur de l'Université Laval, président honoraire; l'honorable Adélard Turgeon, président; Mgr J.-C.-H. Laflamme, vice-président; M. l'abbé S.-A. Lortie, archiviste; Adjutor Rivard, secrétaire et trésorier.

Les directeurs étaient: l'honorable Thomas Chapais, le docteur A. Vallée, J.-P. Tardivel et J.-E. Prince, l'abbé Camille Roy *(Bulletin du parler français,* vol. I, n° 1 (septembre 1902), p. 3 et 4. Dans cette première livraison du *Bulletin,* on trouve aussi une liste des membres de la Société «par ordre alphabétique et d'inscription, au 1er septembre 1902», p. 19 et 20. Le *Bulletin* publiera régulièrement la liste de ses nouveaux membres comme des nouveaux cercles d'étude qui sont affiliés à la Société.

31. «Critique et littérature nationale», *Regards sur les lettres,* p. 215.

32. Annette M. Hayward, *Le Conflit entre les régionalistes et les «exotiques» au Québec (1900-1920),* thèse de doctorat ès lettres, Montréal, Université McGill, 1980, 1046 f. [f. 88].

33. *Ibid.,* p. 92.

34. «La Société du parler français et son premier concours littéraire», *Premier Congrès de la langue française au Canada,* p. 339.

35. Émile Chartier, «M. Maurice Barrès», *Pages de combat,* p. 107 à 141. Le texte date de janvier 1910.

36. *Ibid.,* p. 111-112.

37. Rémy Ponton, «Traditions littéraires et tradition scolaire. L'exemple des manuels de lecture de l'école primaire française: quelques hypothèses de travail», *Lendemains,* Berlin, n° 36, (Jahrgang 1984), 144 pages [p. 53 à 63]. Citation, p. 56.

38. Louis Trottier, «Genèse du réseau urbain du Québec», *L'Urbanisation de la société canadienne-française,* Quatrième colloque de la revue *Recherches sociographiques* du Département de sociologie et d'anthropologie de l'université Laval, ouvrage réalisé sous la direction de Marc-André Lessard et Jean-Paul Montminy, Québec, Les Presses de l'Université Laval, 1967, 209 p. [v. p. 25].

39. La rubrique «La poésie en province» est signée des initiales: A.R.-L. Annette Hayward croit qu'il s'agit d'Adjutor Rivard.

40. Jean-Charles Falardeau, «Vie intellectuelle et société au début du siècle: continuité et contrastes», *Histoire de la littérature française du Québec* de Pierre de Grandpré, tome II (1900-1945), p. 25.

41. «Émile Nelligan», *Les Débats,* 3e année, n°s 143-149, livraisons hebdomadaires entre le 17 août et le 28 septembre 1902.

42. Louis Dantin, *Émile Nelligan et son œuvre,* «Préface», Montréal, éd. Édouard Garand, (*simple réédition du volume paru en 1904), 1925, XXXIX p. [v. p. XXIV].

43. Laurent Mailhot et Pierre Nepveu, *La Poésie québécoise des origines à nos jours* (version revue et mise à jour), Montréal, l'Hexagone, coll. Typo poésie, n° 7, 1986, 642 p. [v. p. 11].

44. Son père, Louis-Alexandre-Napoléon Seers, était avocat. Pour plus de détails sur Louis Dantin, il faut consulter la thèse d'Yves Garon, «Louis Dantin, sa vie et son œuvre», thèse de doctorat présentée à l'Université Laval, 1960, 641 f.

45. Louis Dantin, «Préface», *op. cit.,* p. IV.

46. Émile Nelligan fut conduit à l'Asile Saint-Benoît-Joseph-Labre à Longue-Pointe, le 9 août 1899. Le 17 août 1902, le journal *Les Débats* publie la première tranche de l'étude de Dantin.

47. Louis Dantin, «Préface», *op. cit.,* p. I.

48. *Ibid.,* p. IV.

49. *Ibid.,* p. V.

50. *Ibid.,* p. XIII.

51. *Ibid.*, p. XVI.

52. Voir l'article d'André Gaulin dans le tome III du *Dictionnaire des œuvres littéraires du Québec (1940-1959)*, «*Poésies complètes 1896-1899*, d'Émile Nelligan», p. 790 à 796.

53. Jacques Michon, «La Réception de l'œuvre de Nelligan, 1904-1949», *Problems of literary reception/Problèmes de réception littéraire*, edited by E.D. Blodgett and A.G. Purdy, Edmonton, Research Institute for Comparative Literature, University of Alberta, 1988, 196 p. [v. p. 78].

54. «La nationalisation de la littérature canadienne», p. 190.

55. *Ibid.*, p. 191.

56. Émile Chartier, «Causerie philologique», *Bulletin du parler français*, VII, n° 1 (septembre 1908), p. 12.

57. Louis Dantin, «Préface», *op. cit.*, p. XXIV et XXV.

58. En 1913, Camille Roy écrit dans un article paru en anglais à Toronto que l'œuvre de Nelligan n'a, selon lui, guère de chance de passer à la postérité: «*It dœs not retain the mesure and equilibrium indispensable to enduring work.*» «Émile Nelligan» *French-Canadian Literature*, Toronto, Glasgow, Brook and Company, p. 469-471 [v. p. 470]. La citation provient de la thèse d'Annette M. Hayward, «Le Conflit des régionalistes et des "exotiques"».

59. Camille Roy, «Un poète maudit. Émile Nelligan, par M. Ch. ab der Halden», «Bibliographie», *Bulletin du parler français*, vol. III, n° 6 (février 1905), p. 188 et 189.

60. Dans sa thèse, *Le Conflit des régionalistes et des «exotiques»*, Annette Hayward soutient que c'est à la suite que Charles ab der Halden tenait des propos élogieux qu'il y tenait à l'endroit de l'École littéraire de Montréal, dans les *Nouvelles (1907)*, que l'idée d'une reprise des activités fut lancée par Germain Beaulieu.

61. Charles Gill, «Émile Nelligan», *Le Nationaliste*, vol. I, n° 1 (6 mars 1904), p. 4; Albert Lozeau, «Émile Nelligan et l'art canadien», *le Nationaliste*, vol. I n° 2 (13 mars 1904), p. 4.

62. Anecdote racontée par Annette Hayward dans sa thèse *Le Conflit des régionalistes et des «exotiques»*, p. 119.

63. Robert Lahaise, dans son ouvrage intitulé *Guy Delahaye et la modernité littéraire*, écrit: «En fait, en cet automne 1906, nombre d'éléments concordent à les réunir [Guillaume Lahaise, Marcel Dugas, René Chopin et Paul Morin]. Ils sont de familles relativement aisées et sont passées [*sic*] par le moule privilégié du collège classique.» (*Guy Delahaye et la modernité littéraire*, Montréal, Hurtubise HMH, coll. Cahiers du Québec/ Littérature, 1987, 549 p. [v. p. 62].)

Guillaume Lahaise [Guy Delahaye], fils d'Évangéline Cheval et de Pierre-Adélard Lahaise, famille de commerçants, naît à Saint-Hilaire, près de Montréal, le 18 mars 1888. Paul Morin naît le 6 avril 1889 à Montréal. Il est le fils unique de Henry-E. Morin, surintendant de l'Union mutuelle, et d'Antonia de La Morandière Marchand, fille de maître Médéric Marchand dont l'épouse fonda à Montréal la célèbre école de musique, l'Académie Marchand. René Chopin naît au Sault-au-Récollet le 2 avril 1885 de Léocadie-Délia Brousseau et de Jules-N. Chopin, médecin. Marcel Dugas, fils de Rose-de-Lima Brien dit DesRoches et d'Euclide Dugas, capitaine de milice et marchand, naît à Saint-Jacques de l'Achigan le 3 septembre 1883. C'est à l'Université Laval de Montréal, à l'automne de 1906, que le groupe se lie d'amitié. Déjà, Morin, Chopin et Delahaye [Lahaise], qui avaient fréquenté le Collège Sainte-Marie, se connaissaient.

64. Dans un texte intitulé «Poètes québécois d'avant 1940 en quête de modernité», Jacques Blais écrit: «Pour la poésie québécoise [...], les années qui précèdent et qui suivent la guerre de 1914 sont propices à l'expérimentation de la modernité. Les années fastes et décisives sont 1910-1913.» Dans *L'Avènement de la modernité culturelle au Québec,* ouvrage collectif publié sous la direction d'Yvan Lamonde et d'Esther Trépanier, p. 23. Je souligne.

65. Guy Delahaye, *Les Phases,* Montréal, Déom libraire éditeur, 1910, 144 p.

- *Mignonne, Allons voir si la rose...,* Montréal, Déom libraire-éditeur, 1910, 104 p.

66. Paul Morin, *Le Paon d'émail,* Paris, Lemerre, 1911, 166 p. Marcel Dugas, *Le Théâtre à Montréal, propos d'un Huron canadien,* Paris, Henri Falque, 1911, 247 p. [plusieurs des articles que comprend ce recueil d'essais avaient été publiés dans *Le Nationaliste*]. René Chopin, *Le Cœur en exil,* Paris, Georges Crès et cie, 1913, 179 p.

67. Camille Roy, *Manuel d'histoire de la littérature canadienne-française,* p. 99.

68. Le qualificatif «trop artiste» signifie pour les critiques du *Bulletin du parler français* que la «forme» d'une œuvre paraît plus importante que le «fond», qu'elle s'impose au détriment du sujet traité.

69. Blanche Lamontagne avait remporté un prix au Premier grand concours littéraire qu'avait organisé la Société du parler français en 1912.

70. Camille Roy, *Manuel d'histoire de la littérature canadienne-française,* p. 100.

71. «Les *«Gouttelettes»* poétiques de M. Pamphile Lemay», *Bulletin du parler français,* vol. II, septembre 1903 à septembre 1904, p. 308 et 310.

72. Cité par Camille Roy dans *Nouveaux Essais sur la littérature canadienne-française,* p. 272.

73. Camille Roy, «Notre langue et notre littérature», *Études et Croquis,* p. 72.

74. «Notre littérature en service national», dans *Études et Croquis,* p. 102-103.

75. Marcel Dugas, *Apologies,* p. 58.

76. Camille Roy, *La Critique littéraire au dix-neuvième siècle,* p. 160.

77. Au sens où les travaux de Pierre Bourdieu le définissent.

78. Je songe ici à la revue *Le Terroir* qui marque la tentative de renaissance de l'École littéraire de Montréal ainsi que l'entrée du régionalisme sur la scène montréalaise. Dans la préface au premier numéro du *Terroir,* en janvier 1909, Charles Gill écrit: «Nous assistons avec amertume à l'agonie de nos rêves. L'enthousiasme des premiers jours est disparu, faisant place à un sentiment plus tenace: celui du devoir.»

79. «La Société du parler français au Canada», *Premier Congrès de la langue française au Canada,* Mémoires, p. 224.

80. *Bulletin du parler français au Canada,* vol. I, n° 1 (septembre 1903), p. 9.

81. «Un cercle d'étude du parler français au Collège de Valleyfield», *Bulletin du parler français au Canada,* vol. IX (septembre 1910-septembre 1911), p. 347.

82. *Ibid.,* p. 349-350.

83. *Ibid.,* p. 351.

84. Le *Bulletin du parler français* est remplacé en 1918 par *Le Canada français* dont la publication sera assurée conjointement par la Société et par l'Université Laval.

85. Joseph Évariste Prince, «Les *Gouttelettes* poétiques de M. Pamphile Lemay», *loc. cit.,* p. 309.

CONCLUSION

1. Le «Soc» et l'«Encéphale» constituent les premiers lieux de regroupement et d'intervention de ceux que l'on nommera plus tard les «exotiques». Fondée à l'automne de 1908, l'«Encéphale» est une «société secrète» fréquentée par une douzaine de jeunes esthètes, dont Guy Delahaye, René Chopin, Marcel Dugas, et Paul Morin. Fondé quelques mois plus tard, le «Soc» présente une structure plus ouverte et ses activités ont un caractère public. Il s'agit en fait d'un cercle littéraire rattaché à l'Université Laval de Montréal. L'avant-garde y fait ses premiers pas. À la parution des *Phases* de Guy Delahaye, les deux groupes n'existent plus. Pour plus de détails, voir l'ouvrage de Robert Lahaise, *Guy Delahaye et la modernité littéraire*, p. 99-103 sur la question de l'«Encéphale» et p. 105-110 sur celle du «Soc».

2. Annette Hayward, *le Conflit des régionalistes et des «exotiques»*, *op. cit.*, p. 148.

3. Octave Crémazie, *Œuvres*, tome II, p. 91. Je souligne.

4. *Les Soirées du Château de Ramezay*, Montréal, 1900, Eugène Senécal et Cie, imprimeurs-éditeurs, p. III.

5. Dans sa «Préface», Louis Dantin raconte ceci: «Ce n'est pas non plus à un éditeur quelconque qu'il [Nelligan] eût livré ses manuscrits. Quand j'en suggérais un, d'aventure, parmi nos libraires montréalais: «Peuh! faisait-il dédaigneusement, sait-il bien imprimer les vers? J'enverrai mes cahiers à Paris...», «Préface», *Émile Nelligan et son œuvre*, p. VII.

6. J.-E. Prince, «Les *Gouttellettes* poétiques de M. Pamphile Lemay», *loc. cit.* p. 315

7. Propos d'Adjutor Rivard cités par Camille Roy dans son Rapport des travaux de la «Section littéraire» du Congrès, *Premier Congrès de la langue française au Canada. Compte rendu*, p. 540.

8. Sur la notion d'«habitus», voir les ouvrages suivants: Pierre Bourdieu, *La Distinction*, Paris, les Éditions de Minuit, coll. «Le sens commun», 1979, 670 p. [surtout le chapitre trois, «l'habitus et l'espace des styles de vie», v. p. 189-248]; *Questions de sociologie*, Paris, Éditions de Minuit, 1984, 277 p. [v. p. 133-136]; *Choses dites*, Paris, Éditions de Minuit, 1987, 229 p. [v. p. 127-128].

9. Essentiellement associée jusqu'ici aux comportements individuels et de classes sociales, la notion peut servir à l'analyse de comportements plus largement collectifs et même nationaux.

10. Émile Chartier, *Pages de combat*, p. 215.

11. Jean Charbonneau, *L'École littéraire de Montréal*, p. 293-294.

12. Germain Beaulieu, «Où allons-nous?», *Le Terroir*, juin 1909, p. 232.

Bibliographie

I. ARCHIVES ET INÉDIT

1. ARCHIVES

1.1 Archives publiques du Canada

«Papiers Louis Fréchette», lettres de Charles ab der Halden à Louis Fréchette. La correspondance débute en 1897 et se termine en 1907. MG29G13, pages numérotées de 1923 à 1952 [*non vidi*].

1.2 Archives nationales de Paris

«Dossier Charles ab der Halden, inspecteur de l'instruction publique», n° 17F24707. Liasse non paginée de documents administratifs.

1.3 Archives de la Bibliothèque de l'Institut de France de Paris

«Rapport de M. le Secrétaire perpétuel sur les concours de l'année 1905», *Publications diverses de l'année 1905* (discours d'attribution du prix Bordin aux *Études de littérature canadienne* de Charles ab der Halden), 1905, cahier 13.

1.4 Archives municipales de Roubaix.

Extrait de l'acte de naissance de Charles ab der Halden. Année 1873, n° 1627.

1.5 Archives du Séminaire de Québec

«Fonds Henri-Raymond Casgrain», Séminaire de Québec. Correspondance: boîte 28/29. Liasses non paginées. Deux lettres de Charles ab der Halden à l'abbé Casgrain. Nos 22 et 57.

2. INÉDIT

MOISAN, Clément. «La littérature québécoise en France (1830 à 1970) Anthologie de textes publiés dans les journaux et revues en France, avec une introduction, des notes et une bibliographie» Manuscrit inédit d'environ 750 feuillets [pagination imparfaite].

II. CORPUS DES TEXTES ÉTUDIÉS

1. VOLUMES ET CHAPITRES DE VOLUMES

ASSELIN, Olivar. *Pensée française – pages choisies,* Montréal, Éditions de l'ACF, 1937, 214 p.

BUIES, Arthur. *Réminiscences. Les Jeunes Barbares,* Québec, Imprimerie de l'Électeur, 1892, 110 p.

CHARBONNEAU, Jean. *L'École littéraire de Montréal. Ses origines. Ses animateurs. Ses influences,* Montréal, Éditions Albert Lévesque, 1935, 319 p. (Série «Les Jugements»).

CHARTIER, Émile. *Pages de combat,* Montréal, Imprimerie de l'École catholique des Sourds-Muets, 1911, 338 p.

CHOPIN, René. *Le Cœur en exil,* Paris, Georges Crès et cie, 1913, 179 p.

CRÉMAZIE, Octave. *Œuvres,* II – prose, texte établi, annoté et présenté par Odette Condemine, Ottawa, Éditions de l'Université d'Ottawa, 1976, 438 p.

DANTIN, Louis. *Poètes de l'Amérique française,* 2 vol.: tome I, Montréal, Louis Carrier & cie, Éditions du Mercure, 1928, 250 pages; tome II, Éditions Albert Lévesque, 1934, 196 p.

DELAHAYE, Guy. *Les Phases,* Montréal, Déom libraire-éditeur, 1910, 144 p. *Mignonne, allons voir si la rose...,* Montréal, Déom libraire-éditeur, 1910, 104 p.

DUGAS, Marcel. *Le Théâtre à Montréal, propos d'un Huron canadien,* Paris, Henri Falque éditeur, 1911, 247 p. *Apologies,* Montréal, Paradis-Vincent éditeurs, 1919, 110 p.

FOURNIER, Jules. *Mon encrier. Recueil posthume d'études et d'articles choisis, dont deux inédits,* Montréal, Madame Jules Fournier, 1922, 2 vol.: t. I: XVI, 198 p.; t. II: 209 p.; Fides, [1965], 350 p.; [1970]. *Anthologie des poètes canadiens,* mise au point et préfacée par Olivar Asselin, Montréal, [s.é.], 1920, 309 p.

HALDEN, Charles ab der. *La Veillée des Armes.* (Exil. Croquis. — musiquettes. Bagatelles. Pourquoi? [1894-1898], Paris, Alphonse Lemerre éditeur, 1899, 155 p.

Études de littérature canadienne française, précédées d'une introduction de Louis Herbette, Paris, F. R. de Rudeval, 1904, CIV-352 p.

Nouvelles Études de littérature canadienne française, Paris, F. R. de Rudeval, 1907, XIV-377 p.

LOZEAU, Albert. *L'Âme solitaire,* Paris, F. R. de Rudeval, 1907, 223 p. (Coll. «Bibliothèque canadienne»).

MORIN, Paul. *Le Paon d'émail,* Paris, Lemerre, 1911, 166 p.

NELLIGAN, Émile. *Poésies complètes 1896-1899,* texte établi et annoté par Luc Lacourcière, Montréal, Fides, 1952, 331 p. (Coll. du Nénuphar).

NEVERS, Edmond de. *L'Avenir du peuple canadien-français,* préface de Claude Galarneau, Montréal, Fides, 1964 (1re édition: 1896), 332 p. (Coll. du Nénuphar).

Premier Congrès de la langue française au Canada. Compte rendu, Québec, Imprimerie de l'Action sociale, 1913, 693 p.

Premier Congrès de la langue française au Canada. Mémoires, Québec, Imprimerie de l'Action sociale, 1913, 631 p.

RIVARD, Adjutor. *Chez nous,* Québec, l'Action sociale catholique, 1914, 145 p.

ROY, Camille. *Essais sur la littérature canadienne,* Montréal, Beauchemin, 1924 (1re édition: 1907), 201 p.

 Tableau de l'histoire de la littérature canadienne française, Québec, Imprimerie de l'Action sociale, 1907, 81 p.; 1911, 89 p.

 Propos canadiens, Québec, Imprimerie de l'Action sociale, 1912, VIII-326 p.

 Nouveaux Essais sur la littérature canadienne, Québec, Imprimerie de l'Action sociale limitée, 1914, 390 p.

 La Critique littéraire au dix-neuvième siècle. De Mme de Staël à Émile Faguet, Québec, Imprimerie de l'Action sociale, 1918, 236 p.

 Manuel d'histoire de la littérature canadienne française, Québec, Imprimerie de l'Action sociale, 1918, X, 120 p.; 1920, X, 122 p.; 1923, 124 p.; 1925, 132 p.

 Érables en fleurs, Québec, Imprimerie de l'Action sociale, 1923, 234 p.

Les Soirées du Château de Ramezay, Montréal, Eugène Senécal et cie, imprimeurs-éditeurs, 1900, XV-402 p.

Statuts de l'École littéraire de Montréal, Montréal, Arbour & Dupont imprimeurs-éditeurs, 1900, 12 p.

2. ARTICLES

[Anonyme]. «À nos lecteurs», *Revue d'Europe et des colonies,* Paris, tome XIX (janvier 1908), p. 1 à 4.

«La littérature franco-canadienne jugée par le *Times*, *Revue d'Europe et d'Amérique*, Paris, T. XIX, mai 1908, p. 330 à 335 [reproduction d'un article paru dans le *Times* du 12 mars 1908].

«La Société du parler français au Canada» et «Liste des membres», *Bulletin du parler français au Canada*, vol. I (septembre 1902 – septembre 1903), p. 3 et 4; p. 19.

«Les revues. Articles signalés», *Bulletin du parler français au Canada*, vol. III (septembre 1904–septembre 1905), p. 193 à 195.

«Un cercle d'étude du parler français au collège de Valleyfield», *Bulletin du parler français au Canada*, vol. IX (septembre 1910 – septembre 1911), p. 346 à 355.

«Échos du Congrès», *Premier Congrès de la langue française au Canada. Compte rendu*, Québec, Imprimerie de l'Action sociale, 1913, p. 625 à 630.

«Résolutions. Section littéraire», *Premier Congrès de la langue française au Canada. Compte rendu*, Québec, Imprimerie de l'Action sociale, 1913, p. 607 à 610.

A. R.-L. «La poésie en province. Gabriel Nigond», *Bulletin du parler français au Canada*, vol. II (septembre 1903 – septembre 1904), p. 56 à 58.

«La poésie en province. Vers saintongeais», *Bulletin du parler français au Canada*, vol. II (septembre 1903 – septembre 1904), p. 85 et 86.

«La poésie en province. Louis Beuve.» *Bulletin du parler français au Canada*, vol. II (septembre 1903 – septembre 1904), p. 113 à 115.

«La poésie en province. Anatole Le Braz», *Bulletin du parler français au Canada*, vol. II (septembre 1903 – septembre 1904), p. 148 à 150.

«La poésie en province. Charles Lamy», *Bulletin du parler français au Canada*, vol. II (septembre – 1903 septembre 1904), p. 173 et 174.

«La poésie en province. Achille Millien», *Bulletin du parler français au Canada*, vol. II (septembre 1903 – septembre 1904), p. 207 à 209.

«La poésie en province. Paul Harel», *Bulletin du parler français au Canada*, vol. II (septembre 1903 – septembre 1904), p. 241 à 243.

«La poésie en province. L'abbé Justin Bessou», *Bulletin du parler français au Canada*, vol. II (septembre 1903 – septembre 1904), p. 275-276.

BOUCHER DE LA BRUÈRE, Pierre. «Discours d'ouverture du président de la section littéraire», *Premier Congrès de la langue française au Canada. Compte rendu*, Québec, Imprimerie de l'Action sociale, 1913, p. 233 et 234.

CHARTIER, Émile. «La critique littéraire au Canada», *Premier Congrès de la langue française au Canada*. Mémoires, Québec, Imprimerie de l'Action sociale, 1913, p. 466 à 479.

COMITÉ DU BULLETIN. «J.-P. Tardivel», *Bulletin du parler français au Canada*, vol. III, n° 9 (mai 1906), p. 269.

«Le «Bulletin» à l'Académie française», *Bulletin du parler français au Canada,* vol. VIII, n° 10 (juin – juillet – août 1910), p. 361.

DANTIN, Louis. «Préface», *Émile Nelligan et son œuvre,* Montréal, Éditions Édouard Garand, 1925 (réédition de l'ouvrage paru en 1904), XXXIX p.

FOURNIER, Jules. «Comme Préface», *Revue canadienne,* vol. LI (juillet 1906), p. 23 à 33.

«Réplique à M. ab der Halden», *Revue canadienne,* vol. LII (février 1907) p. 128 à 136.

HALDEN, Charles ab der. «Lettre de Paris», *la Presse,* vol. XVI, n° 132 (7 avril 1900) p. 13.

«La littérature canadienne-française», *Revue canadienne,* texte d'une conférence faite à l'Hôtel des Sociétés savantes, à Paris, le 19 mars 1900, 36e année, tome XXXVIII, p. 243 à 260.

[Réponse à l'enquête du *Nationaliste:* l'avenir des Canadiens-français], Montréal, *Le Nationaliste,* 3 septembre 1905, p. 1.

«Études de littérature canadienne française. Un moine artiste: Henri d'Arles», *Revue d'Europe et des colonies,* Paris, janvier 1906, p. 17 à 27.

«Les Chansons populaires et les jeux enfantins au Canada», *La Quinzaine,* Paris, 1er janvier 1906.

«Études de littérature canadienne française. Papineau», Première partie. *Revue d'Europe et des colonies,* Paris, mai 1906, p. 313 à 324.

«Études de littérature canadienne française. Papineau», Seconde partie. *Revue d'Europe et des colonies,* Paris, juin 1906, p. 394 à 403.

«Études de littérature canadienne française. Albert Lozeau», *Revue d'Europe et des colonies,* Paris, juillet 1906, p. 41 à [50].

«À monsieur Jules Fournier», *Revue canadienne,* vol. XLII (octobre 1906), p. 315 à 323.

«À monsieur Jules Fournier», *Revue canadienne,* vol. XLII (mars 1907), p. 290.

«Études de littérature canadienne française. M. Adolphe Poisson», *Revue d'Europe et des colonies,* Paris, t. XVII, (avril 1907), p. 375 à 386.

«À M. Louvigny de Montigny», *Nouvelles Études de littérature canadienne française,* Paris, F. R. de Rudeval éditeur, 1907, p. I à XIV. (Coll. «Bibliothèque canadienne»).

«Livres canadiens», *Revue d'Europe et des colonies,* Paris, t. VII (septembre 1907), p. XV.

«Buts de guerre», *Bulletin des Armées de la République,* 26 septembre 1917, texte repris dans *Morale. Instruction civique, droit privé, économie politique,* Paris, Librairie Armand Colin, 1939 (10e édition), p. 146-147.

«Lettres inédites d'Arthur Buies [à Charles ab der Halden]», *Revue d'Europe et des colonies,* Paris, t. XIX, janvier 1908, p. 254 à 257.

«Choses d'Outre-mer», *Revue d'Europe et d'Amérique*, mars 1908, t. XIX, p. 173 à 177.

«Louis Fréchette», *Revue d'Europe et d'Amérique*, Paris, t. XIX, juillet 1908, p. 21 à 23.

LORTIE, Stanislas-A. «De l'origine des Canadiens-français», *Bulletin du parler français au Canada*, vol. II, n° 1 (septembre 1903), p. 17 et 18.

LOZEAU, Albert. «Lettre à son éditeur», citée dans la «Note de l'éditeur» qui sert de préface à *L'Âme solitaire*, Paris, F. R. de Rudeval, 1907, p. I-III.

«À la langue française», poème, *Premier Congrès de la langue française au Canada. Compte rendu*, Québec, Imprimerie de l'Action sociale, 1913, p. 649.

MONTIGNY, Louvigny de. «Lettre à M. Charles ab der Halden. Auteur des *Nouvelles Études de littérature canadienne française*», *La Patrie*, 5 novembre 1907, p. 11.

PRINCE, Joseph-Évariste. «Les "Gouttelettes" poétiques de M. Pamphile Lemay», *Bulletin du parler français au Canada*, vol. II (septembre 1903-septembre 1904), p. 306 à 315.

RIVARD, Adjutor. «Société du parler français au Canada. Rapport du secrétaire pour l'année 1902-1903», *Bulletin du parler français au Canada*, vol. II, n° I (octobre 1903), p. 33 à 37.

«L'abbé Lortie», *Bulletin du parler français au Canada*, vol. XI, n° I (septembre 1912), p. 7.

«Les formes dialectales dans la littérature canadienne», *Premier Congrès de la langue française au Canada. Mémoires*, Québec, Imprimerie de l'Action sociale, 1913, p. 420 à 425.

«La Société du parler français au Canada», *Premier Congrès de la langue française au Canada. Mémoires*, Québec, Imprimerie de l'Action sociale, 1913, p. 224 à 235.

ROUTHIER, Adolphe-Basile. «À l'Académie française. Discours», *Premier Congrès de la langue française au Canada. Compte rendu*, Québec, Imprimerie de l'Action sociale, 1913, p. 235 à 238.

ROY, Camille. «Étude sur l'histoire de la littérature canadienne», *Bulletin du parler français au Canada*, vol. II, n° 5 (janvier 1904), p. 129 à 140.

«Lettre à M. Ernest Myrand, 2 décembre 1900 à Paris», *Bulletin des recherches historiques*, vol. VIII, n° 5 (mai 1902), p. 129 à 130.

«M. de Labriolle et le parler français au Canada», *Bulletin du parler français au Canada*, vol. I, n° 9 (mai 1903), p. 172 à 174.

«La nationalisation de notre littérature», *Essais sur la littérature canadienne*, conférence faite à l'Université Laval le 5 décembre 1904, Montréal, Éditions Beauchemin, 1925, p. 185 à 201.

«Notre langue et la littérature canadienne», *Études et Croquis*, Montréal/New York, Louis Carrier & Cie et les Éditions du Mercure, 1928, p. 70 à 83.

«Pourquoi nous aimons notre langue», *Études et Croquis,* Montréal/New York, Louis Carrier & Cie et les Éditions du Mercure, 1928, p. 57 à 69.

«Notre littérature en service national», *Études et Croquis,* Montréal/New York, Louis Carrier & Cie et les Éditions du Mercure, 1928, p. 101 à 106.

«Notre langue et nos traditions: une leçon des "Anciens Canadiens"», *Études et Croquis,* Montréal/ New York, Louis Carrier & Cie et les Éditions du Mercure, 1928, p. 84 à 91.

«Critique et Littérature nationale», *Regards sur les lettres,* Québec, Imprimerie de l'Action sociale, 1931, p. 209 à 240.

«Section littéraire. Rapport», *Premier Congrès de la langue française au Canada. Compte rendu,* Québec, Imprimerie de l'Action sociale, 1913, p. 537 à 549.

«La Société du parler français et son premier concours littéraire», *Premier Congrès de la langue française au Canada. Compte rendu,* Québec, Imprimerie de l'Action sociale, 1913, p. 337 à 343.

III. ÉTUDES

1. SUR LA LITTÉRATURE DU QUÉBEC

1.1 Volumes, numéros de revues et thèses

Archives des lettres canadiennes, tome I, *Mouvement littéraire de Québec, 1860. Bilan littéraire de l'année 1960,* Ottawa, Éditions de l'Université d'Ottawa, 1961, 219 p.; tome II, *l'École littéraire de Montréal,* 2e édition, Montréal, Fides, 1972, 351 p.; tome VI, *L'Essai et la Prose d'idées au Québec. Naissance d'un discours d'ici. Recherches et érudition. Forces de la pensée et de l'imaginaire. Bibliographie,* Montréal, Fides, 1986, 921 p.; tome VII, *Le Nigog,* Montréal, Fides, 1987, 388 p.

«Archéologie de la modernité. Art et littérature au Québec de 1910 à 1945», revue *Protée,* vol. XV, n° 1 (hiver 1987), publication du Département des arts et lettres de l'Université du Québec à Chicoutimi, 178 p.

«L'Autonomisation de la littérature», numéro préparé par Clément Moisan et Denis Saint-Jacques, *Études littéraires,* vol. XX, n° 1, printemps-été 1987, Québec, Presses de l'Université Laval, 207 p.

BASTIEN, Hermas. «Jules Fournier», *Ces écrivains qui nous habitent,* Montréal, Beauchemin, 1969, 227 p.

BELLEAU, André. *Le Romancier fictif. Essai sur la représentation de l'écrivain dans le roman québécois,* Montréal, les Presses de l'Université du Québec, 1980, 155 p.

BOURASSA, André-G. *Surréalisme et littérature québécoise. Histoire d'une révolution culturelle,* Montréal, l'Hexagone, 1986, 611 p. (Coll. Typo essai).

DASSONVILLE, Michel. *Fréchette,* Montréal, Fides, 1959, 95 p. (Coll. classiques canadiens).
«Didactique et littérature dans les collèges classiques du Québec», *Études littéraires,* vol. XIV, n° 3 (décembre 1981), Presses de l'Université Laval, p. 370 à 563.

DROLET, Antonio. *Les Bibliothèques canadiennes (1604-1960),* Montréal, Cercle du livre de France, 1965, 234 p.

FALARDEAU, Jean-Charles. *Imaginaire social et littérature,* préface de Gilles Marcotte, Montréal, Hurtubise HMH, 1974, 152 p. (Coll. Reconnaissances).

GABOURY, Placide. *Louis Dantin et la critique d'identification,* Montréal, Hurtubise HMH, 1973, 273 p.

GAGNON, Marcel-Aimé. *Olivar Asselin toujours vivant,* Montréal, Presses de l'Université du Québec, 1974, 215 p.

GARAND, Dominique. *La griffe du polémique. Le conflit entre les régionalistes et les exotiques,* Montréal, l'Hexagone, 1989, 235 p. (Coll. Essais littéraires).

GARON, Yves. «Louis Dantin, sa vie et son œuvre», thèse de doctorat présentée à l'Université Laval, 1960, 641 f.
Louis Dantin. Textes choisis et présentés par Yves Garon, Montréal, Fides, 1968, 96 p. (Coll. Classiques canadiens).

GAULIN, André. *«Poésies complètes 1896-1899,* d'Émile Nelligan», *Dictionnaire des œuvres littéraires du Québec,* tome III *(1940-1959),* Montréal, Fides, 1982, p. 790 à 796.

GAUTHIER, Louis-Guy. *«Que sont mes amis devenus...» Correspondance adressée à Marcel Dugas de 1912 à 1947: chronologie,* Joliette, édition privée, 1987, 184 p.

GAUVIN, Lise. *«Parti pris» littéraire,* Montréal, Presses de l'Université de Montréal, 1975, 217 p.

GIGUÈRE, Richard. «Réception critique de textes littéraires québécois», *Cahiers d'études littéraires et culturelles,* n° 7, Université de Sherbrooke, 1982, 202 p.

GRIGNON, Claude-Henri. *Ombres et clameurs. Regards sur la littérature canadienne,* Montréal, Éditions Albert Lévesque, 1933, 204 p.

HAMEL, Réginald. *L'École littéraire de Montréal. Procès verbal et correspondance (et autres documents inédits sur l'École),* réunis, classés et annotés par Réginald Hamel [pour le cours «Histoire littéraire du Québec: Trente ans de littérature à Montréal (1895-1925)»], Montréal, Librairie de l'Université de Montréal, 1974-1975, 2 vol. XXII, 933 p.

HAYWARD, Annette M. «Le conflit entre les régionalistes et les «exotiques» au Québec (1900-1920)», thèse de Ph. D., Montréal, Université McGill, 1980, 1046 f.

LAHAISE, Robert. *Guy Delahaye et la modernité littéraire*, Montréal, Hurtubise HMH, 1987, 549 p. (Coll. Cahiers du Québec/littérature).

Langages et Collectivités: le cas du Québec (édité par J.-M. Klinkenberg, D. Racelle-Latin, G. Connolly), Montréal, Leméac, 1981, 300 p.

LAMONTAGNE, Léopold. *Arthur Buies,* Montréal, Fides, 1959, 93 p. (Coll. «classiques canadiens»).

LEBEL, Michel et Jean-Marcel PAQUETTE, *Le Québec par ses textes littéraires,* Paris/Montréal, Éditions France-Québec et Fernand Nathan, 1979, 387 p.

LEMIRE, Maurice. *Introduction à la littérature québécoise (1900-1939),* Montréal, Fides, 1981, 171 p.

MARCHAND, Clément. *Nérée Beauchemin,* Montréal, Fides, 1957, 96 p. (Coll. Classiques canadiens).

MAILHOT, Laurent. *La littérature québécoise,* Paris, Presses universitaires de France, 1975, 2e édition revue, 127 p. (Coll. Que sais-je?).

MAILHOT, Laurent et Pierre NEPVEU. «Introduction», *La Poésie québécoise des origines à nos jours,* (version revue et mise à jour), Montréal, l'Hexagone, 1986, p. 3 à 35 (Coll. Typo poésie).

MARGERIE, Yves. *Albert Lozeau,* Montréal, Fides, 1958, 95 p. (Coll. Classiques canadiens).

MICHON, Jacques. *Émile Nelligan, les racines du rêve,* Montréal et Sherbrooke, Presses de l'Université de Montréal et Éditions de l'Université de Sherbrooke, 1983, 178 p.

MONTIGNY, Louvigny de. *La Revanche de Maria Chapdelaine,* Montréal, Éditions de l'A.C.-F., 1937, 210 p. (Coll. Les jugements).

PAUL-CROUZET, Jeanne. *Poésie au Canada. De nouveaux classiques français,* Paris, Didier, 1946, 372 p.

PLANTE, Jean-Paul. *Paul Morin,* Montréal, Fides, 1958, 95 p. (Coll. Classiques canadiens).

POULIOT, Lorenzo [Frère Ludovic, é.c.]. *Bio-bibliographie de Mgr Camille Roy, P.A., V.G., Recteur de l'Université Laval,* préface de M. Aegidius Fauteux, conservateur de la Bibliothèque de la ville de Montréal. Québec, Procure des Frères des écoles chrétiennes, 1941, 180 p.

ROBERT, Lucie. *Le Manuel d'histoire de la littérature canadienne de Mgr Camille Roy,* Québec, Institut québécois de recherche sur la culture, 1982, 196 p. (Coll. Edmond de Nevers).

L'Institution du littéraire au Québec, Québec, Presses de l'Université Laval, 1989, 272 p. (Coll. Vie des lettres québécoises et CRELIQ).

SAVARD, Pierre. *Jules-Paul Tardivel, la France et les États-Unis, 1851-1905*, Québec, P.U.L., 1967, 506 p.

SCWARTZWALD, Robert. «Institution littéraire, modernité et question nationale au Québec (1940 à 1976)», thèse de doctorat présentée à l'Université Laval, 1985, V-298 f.

THÉRIO, Adrien. *Jules Fournier*, Montréal, Fides, 1957, 92 p. (Coll. Classiques canadiens).

Jules Fournier, journaliste de combat, Montréal, Fides, 1954, 244 p.

Trajectoires. Littérature et institutions au Québec et en Belgique francophone (édité par Lise Gauvin et Jean-Marie Klinkenberg), Montréal/Bruxelles, Presses de l'Université de Montréal/Éditions Labor, 1985, 272 p. (Coll. Dossiers media).

WYCZYNSKI, Paul. *Nelligan 1879-1941*, Montréal, Fides, 1987, 632 p.

1.2 Articles

BEAUDET, Marie-Andrée. «Le procédé de la citation dans *Menaud*», *Revue d'histoire littéraire du Québec et du Canada français*, Ottawa, n° 13, 1987, les Presses de l'Université d'Ottawa, p. 59 à 64.

BÉRUBÉ, Renald. «Jules Fournier: trouver le mot de la situation», *L'Essai et la prose d'idées au Québec*, Ottawa, Archives des lettres canadiennes, Fides, 1985, p. 367 à 378.

«*Les Phases*, recueil de poésies de Guy Delahaye (pseudonyme de Guillaume Lahaise)», *Dictionnaire des œuvres littéraires du Québec*, tome II (1900 à 1939), Montréal, Fides, 1980, p. 866 à 870.

BLAIS, Jacques. «*Anthologie des poètes canadiens*, compilée par Jules Fournier», *Dictionnaire des œuvres littéraires du Québec*, tome II (1900 à 1939), Montréal, Fides, 1980, p. 47 à 50.

«Poètes québécois d'avant 1940 en quête de modernité», *L'Avènement de la modernité culturelle au Québec*, Institut québécois de recherche sur la culture, 1986, p. 17 à 42.

COTNAM, Jacques. «*Études de littérature canadienne française*, de Charles ab der Halden», *Dictionnaire des œuvres littéraires du Québec*, tome II (1900 à 1939), Montréal, Fides, 1980, p. 472 à 474.

«*Nouvelles Études de littérature canadienne française*, essais de Charles ab der Halden», *Dictionnaire des œuvres littéraires du Québec*, tome II (1900 à 1939), Montréal, Fides, 1980, p. 783 à 785.

FALARDEAU, Jean-Charles. «Vie intellectuelle et Société au début du siècle: continuité et contrastes», *Histoire de la littérature française du Québec* (Pierre de Grandpré), tome II, Montréal, Beauchemin, 1968..

FILTEAU, Claude. «Du symbolisme au post-symbolisme: rhétorique et modernité», *Protée*, vol. XV, n° 1 (hiver 1987), Université du Québec à Chicoutimi, p. 7 à 21.

GAGNON, Jean. «Les livres de récompense et la diffusion de nos auteurs de 1856 à 1931», 1980, p. 3 à 24. (Cahiers de bibliologie).

GAULIN, André. «Le Québec en bottes de sept lieues», *De quelques pays français,* Québec/Paris, publication de la Fédération internationale des professeurs de français, 1982, p. 51 à 58.

GAUVIN, Lise. «Littérature et Nationalisme: une question piégée, pourtant inévitable», *Possibles,* 1983, vol. VII, n° 4.

«Portraits institutionnels», Actes du colloque «Québec/francophonie, *Écrits du Canada français,* n° 60 (1987), p. 67 à 75.

HARE, John. «Introduction à la sociologie de la littérature canadienne-française du XIXe siècle», *L'Enseignement secondaire,* XLII, 2 (mars-avril 1963), p. 21 à 46.

HAYWARD, Annette. «La presse québécoise et sa (ses) littérature(s): 1900-1930», *Problems of literary reception /Problèmes de réception littéraire,* Alberta, E.D. Blodgett and A. G. Purdy éditeurs, University of Alberta, 1988, p. 40 à 48.

KUSHNER, Eva. «*Le Paon d'émail,* recueil de poésies de Paul Morin», *Dictionnaire des œuvres littéraires du Québec,* tome II (1900 à 1939), Montréal, Fides, 1980, p. 820 à 824.

LANDRY, Kenneth. «*Réminiscences. Les jeunes barbares,* essais d'Arthur Buies», *Dictionnaire des œuvres littéraires du Québec,* tome I (des origines à 1900), Montréal, Fides, 1980, p. 649.

LAVOIE, Elzéar. «*Pensée française* et autres essais d'Olivar Asselin», *Dictionnaire des œuvres littéraires du Québec,* tome II (1900 à 1939) Montréal, Fides, 1980, p. 845 à 852.

LE BLANC, Alonzo. «*Mon encrier,* essais de Jules Fournier», *Dictionnaire des œuvres littéraires du Québec,* tome II (1900 à 1939), Montréal, Fides, 1980, p. 723 à 726.

«*Poètes de l'Amérique française,* essais de Louis Dantin (pseudonyme d'Eugène Seers)», *Dictionnaire des œuvres littéraires du Québec,* tome II (1900 à 1939), Montréal, Fides, 1980, p. 893 à 896.

«*Pages de combat,* essais de l'abbé Émile Chartier», *Dictionnaire des œuvres littéraires du Québec,* tome II (1900 à 1939), Montréal, Fides, 1980, p. 810-811.

LEMIRE, Maurice. «Les relations entre écrivains et éditeurs au Québec au XIXe siècle», *L'imprimé au Québec. Aspects historiques (18e-20e siècles),* Québec, IQRC, 1983, p. 207 à 224. (Coll. Culture savante).

«*Chez nous* et *Chez nos gens,* recueils de récits d'Adjutor Rivard», *Dictionnaire des œuvres littéraires du Québec,* tome II (1900 à 1939), Montréal, Fides, 1980, p. 225 à 227.

LOZEAU, Albert. «Le Régionalisme littéraire. Opinions et théories», *Mémoires de la Société royale du Canada,* 1920, section I, p. 83 à 95.

MAILHOT, Laurent. «*L'Âme solitaire,* recueil de poésies d'Albert Lozeau», *Dictionnaire des œuvres littéraires du Québec,* tome II (1900 à 1939), Montréal, Fides, 1980, p. 37 à 40.

MARCEL, Jean. «La critique et l'essai de 1900 à 1930», *Histoire de la littérature française du Québec* (Pierre de Grandpré), tome II, *1900-1945,* Montréal, Beauchemin, 1968, p. 176 à 183.

MARGERIE, Yves de. «Albert Lozeau et l'École littéraire de Montréal», Archives des Lettres canadiennes, tome II, *L'École littéraire de Montréal,* Ottawa, 1972, p. 212 à 254.

MELANÇON, Joseph. «Didactique et engendrement des valeurs au Canada français», *Textuel,* n° 20, Paris, revue publiée par l'U.E.R. «sciences des textes et documents» avec le concours du Conseil scientifique de l'Université Paris VII, p. 39 à 49.

«L'appareil scolaire et la légitimité de la différence québécoise», *Littérature québécoise. Voix d'un peuple. Voies d'une autonomie,* édité par Gilles Dorion (Université Laval) et Marcel Voisin (Université libre de Bruxelles), 1985, p. 24 à 31.

MICHON, Jacques. «La réception de Nelligan de 1904 à 1941», *Protée,* vol. XV, n° 1 (hiver 1987), p. 23 à 29.

PAQUETTE, Jean-Marcel. «Réflexions sur l'enseignement des littératures minoritaires», *Canada français,* Montréal, 1987, n° 61, p. 127 à 138.

PLAMONDON, Marcel. «*Le Cœur en exil,* recueil de poésies de René Chopin», *Dictionnaire des œuvres littéraires du Québec,* tome II (1900 à 1939), Montréal, Fides, 1980, p. 249 à 253.

ROBERT, Lucie. «*Essais sur la littérature canadienne* de Camille Roy», *Dictionnaire des œuvres littéraires du Québec,* tome II (1900 à 1939), Montréal, Fides, 1980, p. 457 à 461.

«Prolégomènes à une étude sur les transformations du marché du livre au Québec (1900-1940)», *L'Imprimé au Québec. Aspects historiques (18e-20e siècles),* Québec, IQRC, 1983, 368 p. (p. 225-242). (Coll. Culture savante).

«Camille Roy et la littérature», *L'Essai et la prose d'idées au Québec,* Archives des lettres canadiennes, tome VI, Montréal, Fides, 1986, p. 411 à 423.

VIGNEAULT, Robert. «L'Essai québécois: la naissance d'une pensée», *Études littéraires,* V, 1 (avril 1972), p. 59 à 74.

WYCZYNSKI, Paul. «L'École littéraire de Montréal. Origines. Évolution. Rayonnement», *L'École littéraire de Montréal,* Montréal, Archives des lettres canadiennes, tome II, Fides, 1972, p. 11 à 36.

«*Émile Nelligan et son œuvre,* recueil de poésies d'Émile Nelligan compilé par Louis Dantin (pseudonyme d'Eugène Seers)», *Dictionnaire des œuvres littéraires du Québec,* Tome III (1900 à 1939), Montréal, Fides, 1980, p. 407 à 413.

«Essai sur la littérature: des origines à 1960», *L'Essai et la prose d'idées au Québec*, Archives des lettres canadiennes, Montréal, Fides, 1986, p. 75 à 108.

1.3 Répertoires, bibliographies et dictionnaires

BEAULIEU, André, Jean-Charles BONENFANT et Jean HAMELIN. *Répertoire des publications gouvernementales du Québec de 1867 à 1964*, Québec, Imprimeur de la Reine, 1968, 554 p.

BEAULIEU, André et Jean HAMELIN. *Les Journaux du Québec de 1764 à 1964*, préface de Jean-Charles Bonenfant, Québec, Presses de l'Université Laval [et] Paris, Librairie Armand Colin, 1965, XXVI, 329 p.

La Presse québécoise des origines à nos jours. Tome quatrième, 1896-1910, Québec, Presses de l'Université Laval, 1979, XV, 417 p.

BEAULIEU, André et Monique MAILLOUX. *Introduction aux ouvrages généraux de référence, encyclopédies, dictionnaires, annuaires, etc. Choix d'ouvrages de la collection de la Bibliothèque de l'Université Laval*, Québec, Bibliothèque de l'Université Laval, 1970, 45 p.

Bibliographie linguistique du Canada français de James Geddes et Adjutor Rivard (1906), continuée par Gaston Dulong, Québec/Paris, Presses de l'Université Laval/ Librairie C. Klincksieck, 1966, 166 p.

BIBLIOTHÈQUE NATIONALE DU QUÉBEC. *Bibliographie des bibliographies québécoises*, compilée par le Centre bibliographique, sous la direction d'Henri-Bernard Boivin, Montréal, Bibliothèque nationale du Québec, 1979, 2 vol., 573 p.

Bibliographie du Québec. Montréal, Bibliothèque nationale du Québec, 1969+ Mensuel. Index annuel.

CANTIN, Pierre, Normand HARRINGTON et Jean-Paul HUDON. *Bibliographie de la critique de la littérature québécoise dans les revues des XIXe et XXe siècles*, Ottawa, Centre de recherche en civilisation canadienne-française, 1979, 5 vol. x, 1 254 p. [pagination continue], (Documents de travail du CRCCF, n° 12; t. I: *Études;* t. II: Auteurs: *a-c;* t. III: Auteurs: *d-g;* t. IV: Auteurs: *h-m;* t. V: Auteurs: *n-z).*

Dictionnaire des œuvres littéraires du Québec, sous la direction de Maurice Lemire, Montréal, Fides, tome I: *des origines à 1900*, 1978, 918 p.; tome II, *1900 à 1939*, 1980, 1363 p.; tome III, *1940 à 1959*, 1982, 1252 p.; tome IV, *1960 à 1969*, 1984, 1123 p.; tome V, *1970 à 1975*, 1987, 1135 p.

DIONNE, Narcisse-Eutrope. *Inventaire chronologique des livres, brochures, journaux et revues publiés en langue française dans la province de Québec, depuis l'établissement de l'imprimerie jusqu'à nos jours, 1764-1905*, Québec, [s.é], 1905, 175 p.; New York, Ams Press, 1974.

HAMEL, Réginald, John HARE et Paul WYCZYNSKI. *Dictionnaire pratique des auteurs québécois*, Montréal, Fides, 1976, XXV-723 p.

HARE, John. «Bibliographie de la poésie canadienne-française, des origines à 1967», *Archives des lettres canadiennes,* Montréal, Fides, t. IV, 1969, p. 601-698.

«Bibliographie du roman canadien-français, 1837-1969», *Archives des lettres canadiennes,* 2e édition, Montréal, Fides, t. III, 1971, p. 415-511.

«Bibliographie du théâtre canadien-français (des origines à 1973)», *Archives des lettres canadiennes,* Montréal, Fides, t. V, 1976, p. 951-999.

HUSTON, James, *Le Répertoire national ou Recueil de littérature canadienne,* Montréal, Imprimerie Lovell et Gibson. 4 vol: t. I: 1848, VIII, 386 p.; t. II: 1848, 376 p.; t. III: 1848, 397 p.; t. IV: 1850, 404 p.; 2e éd., précédée d'une intro. par M. le juge Routhier, J.-M. Valois et Cie, libraires-éditeurs, 1983, 4 vol.: t. I: XVIV, 407 p.; t. II: 396 p.: t. III: 397 p.; t. IV: 404 p.

L'Imprimé au Québec. Aspects historiques. (18e-20e siècles), sous la direction d'Yvan Lamonde, Québec, IQRC, 1983, 368 p. (Coll. Culture savante).

TELLIER, Sylvie. *Chronologie littéraire du Québec,* Québec, publication de l'IQRC, 1982, 347 p. (Coll. Instruments de travail).

Thèses de doctorat concernant le Canada et les Canadiens 1884-1983, Ottawa, publication de la Bibliothèque nationale du Canada, 1986, 559 p.

2. SUR LA LANGUE FRANÇAISE DU QUÉBEC

2.1 Volumes et thèses

BARBEAU, Victor. *Le Ramage de mon pays. Le Français tel qu'on le parle au Canada,* Montréal, Éditions Bernard Valiquette, 1939, 222 p.

BARBAUD, Philippe. *Le Choc des patois en Nouvelle-France. Essai sur l'histoire de la francisation au Québec,* Québec, Presses de l'Université du Québec, 1984, 204 p.

BOUTHILLIER, Guy et Jean MEYNAUD [éditeurs], *le Choc des langues au Québec, 1760-1976,* Montréal, Presses de l'Université du Québec, 1972, 767 p.

BUIES, Arthur. *Anglicismes et canadianismes,* Québec, Darveau, 1888, 106 p.

CLAPIN, Sylva. *Dictionnaire canadien-français ou Lexique Glossaire des mots, expressions et locutions ne se trouvant pas dans les dictionnaires courants et dont l'usage appartient surtout aux Canadiens français,* Montréal, Beauchemin & fils, 1894, XLVI-389 p.

Ne pas dire, mais dire. Inventaire de nos fautes les plus usuelles contre le bon usage, Worcester, Librairie J.-A. Jacques, 1913, 182 p.

CORBEIL, Jean-Claude. *Essai sur l'origine historique de la situation linguistique du Québec,* Québec, Éditeur officiel du Québec, 1974, 45 p.

DIONNE, Narcisse-Eutrope. *Le parler populaire des Canadiens français*, Québec, Laflamme et Proulx imprimeurs, 1909, 671 p.

Douze essais sur l'avenir du français au Québec, Québec, Éditeur officiel du Québec, 1984, 207 p. (Coll. Documentation du Conseil de la langue française).

DUNN, Oscar. *Glossaire franco-canadien et vocabulaire de locutions (vicieuses) usitées au Canada,* Québec, A. Côté et Cie, 1880, 199 p.

FAUCHER DE SAINT-MAURICE, Narcisse-Henri-Édouard. *La Question du jour: Resterons-nous français?*, Québec, Belleau et Cie, 1890, 140 p.

Honni soit qui mal y pense, Notes sur la formation du franco-normand et de l'anglo-saxon, Montréal, Eusèbe Sénécal et Fils imprimeurs, 1892, 85 p.

Glossaire du parler français au Canada, compilé par Adjutor Rivard et Louis-Philippe Geoffrion, Québec, l'Action sociale, 1930, XIX-709 p.; Presses de l'Université Laval, 1968.

LECLERC, Jacques. *Langue et société*, Laval, Mondia éditeurs, 1986, 530 p. (Coll. Synthèse).

LEGENDRE, Napoléon. *La Langue française au Canada*, Québec, Typographie de C. Darveau, 1890, 177 p.

MONTIGNY, Louvigny de. *La Langue française au Canada. Son état actuel,* Ottawa, chez l'auteur. 1916, XXXIII-187 p.

MARCEL, Jean. *Le Joual de Troie,* Montréal, Éditions du Jour, 1973, 236 p.

NOËL, Danièle. «Les Questions de langue au Québec, 1760-1850», Éditeur officiel du Québec, 1990, 397 p. (Coll. Dossiers du Conseil de la langue française).

«Oralité et littérature: France-Québec» I et II, Actes du colloque tenu à l'Université Paris XIII en mai 1986, *Présence francophone*, n° 31 (1987); tome I, 144 p.; tome II, 142 p.

RINFRET, Raoul. *Dictionnaire de nos fautes contre la langue française,* Montréal, Beauchemin et fils, 1896, 306 p.

RIVARD, Adjutor. *Études sur les parlers de France au Canada,* Québec, Garneau, 1914, 280 p.

Le Statut culturel du français au Québec, textes colligés et présentés par Michel Amyot et Gilles Bibeau, Actes du congrès «Langue et société au Québec», tome II, Québec, Éditeur officiel du Québec, 1984, 520 p.

TARDIVEL, Jules-Paul. *L'Anglicisme, voilà l'ennemi,* Québec, Imprimerie du *Canadien*, 1880, 28 p.

La Langue française au Canada, Montréal, la Compagnie de Publication de la Revue canadienne, 1901, 69 p.

2.2 Articles

ALLARD, Jacques. «L'enseignement de la littérature en rapport avec l'état de la langue», *Liberté,* vol. X, n° 3 (mai-juin 1969), p. 87 à 92.

BEAUDET, Marie-Andrée. «Langue et définition du champ littéraire au Québec», *Présence francophone*, n° 31 (1987), p. 57 à 65.

«Les écrivains aux barricades!», *Québec français*, n° 76 (hiver 1990), p. 86 à 89.

BÉLANGER, Henri. «Place à l'homme», *Écrits du Canada français*, Montréal, n° 26 (1969), p. 11 à 124.

BELLEAU, André. «Le conflit des codes dans l'institution littéraire québécoise», *Surprendre les voix*, Montréal, Boréal, 1986, p. 167 à 174.

BOUCHARD, Chantal. «De la "langue du Grand Siècle" à la "langue humiliée". Les Canadiens français et la langue populaire, 1879-1970», *Recherches sociographiques*, Québec, vol. XXIX, n° 1, 1988, p. 7 à 21.

«Une obsession nationale: l'anglicisme», *Recherches sociographiques*, Québec, vol. XXX, n° 1, p. 67 à 90.

BRAZEAU, Jacques. «Différences linguistiques et carrières», *La Société canadienne-française*, études choisies et présentées par Marcel Rioux et Yves Martin, Montréal, Hurtubise HMH, 1971, p. 303 à 314.

BRUNET, Michel. «Les servitudes et les défis du bilinguisme», *Québec Canada anglais: deux itinéraires, un affrontement*, Montréal, HMH, 1969, 309 p.

DORION, Gilles. *«La langue française au Canada*, essai de Louvigny de Montigny», *Dictionnaire des œuvres littéraires du Québec*, tome II (1900 à 1939), Montréal, Fides, 1980, p. 621 à 623.

FILTEAU, Claude. «Langage, littérature et société au Québec depuis les années 60», *Itinéraires. Littératures et contacts de cultures*, (L'écrit et l'oral), Centre d'études francophones, Université Paris XIII, Éditions L'Harmattan, Paris, 1982, p. 121 à 130.

GAULIN, André. «Le Québec français, espace et durée», *Douze essais sur l'avenir du français au Québec*, Québec, Éditeur officiel du Québec, n° 14 de la Documentation du Conseil de la langue française, 1984, p. 75 à 106.

GAUVIN, Lise. «Littérature et langue parlée au Québec», *Études françaises*, vol. X, n° 1 (février 1974), p. 79 à 119.

«Problématique de la langue d'écriture au Québec, de 1960 à 1976», *Langue française*, n° 31 (septembre 1976), p. 74 à 90.

«De Crémazie à Victor-Lévy Beaulieu: langue, littérature, idéologie», *Langages et collectivités: le cas du Québec*, Montréal, Leméac, 1981, p. 106 à 176.

GENDRON, Jean-Denis. «Aperçu historique sur le développement de la conscience linguistique des Québécois», *Québec français*, n° 61 (mars 1986), p. 82 à 89.

JUNEAU, Marcel. *«Le Parler populaire des Canadiens français*, de Narcisse-Eutrope Dionne», *Dictionnaire des œuvres littéraires du Québec*, tome II (1900 à 1939), Montréal, Fides, 1980, p. 828 à 830.

«*Glossaire du parler français au Canada*, d'Adjutor Rivard et Louis-Philippe Geoffrion (compilateurs)», *Dictionnaire des œuvres littéraires du Québec*, tome II (1900 à 1939), Montréal, Fides, 1980, p. 532 à 534.

«Le français au Québec», *Histoire de la langue française, 1880-1914*, sous la direction de Gérald Antoine et Robert Martin, Paris, Éditions du Centre national de la recherche scientifique, 1985, p. 391 à 397.

LAFLAMME, Claude. «Position de la langue française au Québec dans un rapport de classes et dans le contexte nord-américain», *Langages et collectivités. Le cas du Québec,* Montréal, Leméac, 1981, p. 43 à 58.

LANGEVIN, André. «Une langue humiliée», *Liberté*, Montréal, nos 31-32, (mars-avril 1964), p. 119 à 123.

MICHON, Jacques. «Langue et culture populaire dans le roman québécois contemporain», *Présence francophone*, no 31 (1987), p. 67 à 76.

MIRON, Gaston. «Décoloniser la langue», Montréal, *Maintenant*, no 125 (avril 1973), p. 14.

«Notes sur le poème et le non-poème», *L'Homme rapaillé*, Paris, Édition François Maspero, 1981, 173 p. (Coll. Voix).

OUELLETTE, Fernand. «La lutte des langues», *Les Actes retrouvés,* Montréal, HMH, 1970, 226 p. (Coll. Constantes).

VACHON, Georges-André. «Le colonisé parle», *Études françaises*, vol. X, no 1 (février 1974), Presses de l'Université de Montréal, p. 61 à 78.

3. SUR LES RELATIONS FRANCE-QUÉBEC

BRUEZIÈRE, Maurice. *L'Alliance française, 1883-1983. Histoire d'une institution*, Paris, Hachette, 1983, 247 p.

DORION, Gilles. *Présence de Paul Bourget au Canada*, Québec, PUL, 1974, 241 p.

GALARNEAU, Claude. *La France devant l'opinion canadienne (1760-1815)*, Québec/Paris, PUL/Librairie A. Colin, 1970, 401 p.

GÉROLS, Jacqueline. *Le Roman québécois en France*, Montréal, Hurtubise, HMH, Cahiers du Québec, 1984, 363 p. (Coll. Littérature).

HAYNE, David M. «Les lettres canadiennes en France», *La Revue de l'Université Laval*, XV, no 3 (novembre 1960), p. 222-230; no 4 (décembre 1960), p. 328-333; no 5 (janvier 1961), p. 420-426; no 6 (février 1961), p. 507-514; no 8 (avril 1961), p. 716-725; XVI no 2 (octobre 1961), p. 140-148.

«"Cette ancienne colonie française...": la fortune des lettres québécoises en France jusqu'en 1945», *Lectures européennes de la littérature québécoise,* Actes du Colloque d'avril 1981, Montréal, Leméac, 1982, p. 93-107.

HÉBERT, Pierre. «La réception de la littérature canadienne-française en France, au XIXᵉ siècle», *Voix et Images. Littérature québécoise,* Montréal, Université du Québec à Montréal, nᵒ 32 (hiver 1986), p. 265 à 300.

Lectures européennes de la littérature québécoise. Actes du Colloque international de Montréal (avril 1981), Montréal, Leméac, 1982, 387 p.

MÉNARD, Jean. *Xavier Marmier et le Canada, avec des documents inédits: relations franco-canadiennes au XIXᵉ siècle,* Québec, Presses de l'Université Laval, 1967, IX-210 p. (Coll. Vie des lettres canadiennes).

La Vie littéraire au Canada français, Ottawa, Éditions de l'Université d'Ottawa, Cahiers du centre de recherche en civilisation canadienne-française, 1973, 255 p.

OUELLETTE-MICHALSKA, Madeleine. *L'Amour de la carte postale. Impérialisme culturel et différence,* Montréal, Éditions Québec/ Amérique, 1987, 260 p. (Coll. Littérature d'Amérique).

SAVARD, Pierre. *Le Consulat général de France à Québec et à Montréal de 1859 à 1914,* Paris, éditions A. Pedonc, 1970, 132 p.

SIMARD, Sylvain. «La diffusion du livre canadien en France avant 1914», *Études canadiennes,* nᵒ 6, juin 1979, p. 75-80.

Mythe et reflet de la France. L'image du Canada en France, 1850-1914, Ottawa, les Presses de l'Université d'Ottawa, 1987, 440 p. (Coll. Cahiers du Centre de recherche en civilisation canadienne-française).

TOUGAS, Gérard. *Les Écrivains d'expression française et la France,* Paris, Denoël, 1973, 269 p.

«La littérature canadienne dans ses rapports avec la France et sa culture», *Histoire de la littérature canadienne-française,* chap. IV, Paris, Presses universitaires de France, 1967, p. 257 à 272.

YON, Armand. *Le Canada français vu de France (1830-1914),* Québec, Presses de l'Université Laval, 1975, 235 p. (Coll. Vie des lettres québécoises).

4. SUR LE QUÉBEC: HISTOIRE ET SOCIÉTÉ

BOURQUE, Gilles et Anne LEGARÉ. *Le Québec. La question nationale,* Paris, François Maspero, 1979, 232 p.

BOUTHILLETTE, Jean. *Le Canadien français et son double,* Montréal, l'Hexagone, 1972, 97 p.

BRUNET, Michel. *La Présence anglaise et les Canadiens. Études sur l'histoire et la pensée des deux Canadas,* Montréal, Beauchemin, 1964, 323 p.

DUMONT, Fernand. *Le Sort de la culture,* Montréal, l'Hexagone, 1987, 332 p. (Coll. Positions philosophiques).

DURHAM, John George Lambton. *Le Rapport Durham*, traduction et introduction de Denis Bertrand et d'Albert Desbiens, Montréal, l'Hexagone, 1990, 317 p. (Coll. Typo/Document).

DOFNY, Jacques et Marcel RIOUX. «Les classes sociales au Canada français», *La Société canadienne-française*, Montréal, Hurtubise HMH, 1971, p. 315 à 324.

DUROCHER, René et Paul-André LINTEAU. *Le «Retard» du Québec et l'infériorité économique des Canadiens français*, Montréal, Boréal Express, 1971, 127 p.

FALARDEAU, Jean-Charles. «Vie intellectuelle et société au début du siècle: continuité et contrastes», *Histoire de la littérature française du Québec* de Pierre de Grandpré, tome II (1900-1945), Montréal, Beauchemin, 1968, p. 19 à 33.

FOURNIER, Marcel. «La culture savante comme style de vie. Les intellectuels dans le Québec de naguère», (4e trimestre 1981), p. 131 à 165. (Coll. Questions de culture).
L'Entrée dans la modernité. Science, culture et société au Québec, Montréal, Éditions Saint-Martin, 1986, 239 p.

FRÉGAULT, Guy et Marcel TRUDEL. *Histoire du Canada par les textes*, Montréal, Fides, 1963, tome I (1534-1854), 262 pages; tome II (1855-1960), 281 p.

GREER, Allan. «L'alphabétisation et son histoire au Québec. État de la question», *L'Imprimé au Québec. Aspects historiques (18e-20e siècle)*, sous la direction d'Yvan Lamonde, Québec, Institut québécois de recherche sur la culture, 1983, 368 p. [p. 25 à 52]. (Coll. Culture savante).

Histoire du Québec, sous la direction de Jean Hamelin, Montréal, France-Amérique, 1977, 538 p.

RIOUX, Marcel. *La Question du Québec*, Montréal, l'Hexagone, 1987, (1re édition: 1972), 273 p. (Coll. Typo essai).

TROTTIER, Louis. «Genèse du réseau urbain du Québec», *L'Urbanisation de la société canadienne-française. Recherches sociographiques*, Département de sociologie et d'anthropologie de l'Université Laval, Presses de l'université Laval, 1967, p. 23 à 32.

WEINMANN, Heinz. *Du Canada au Québec. Généalogie d'une histoire*, Montréal, l'Hexagone, 1987, 477 p.

IV. MANUELS DE LITTÉRATURE ET HISTOIRES LITTÉRAIRES

BAILLARGEON, Samuel. *Littérature canadienne-française*, préface de Lionel Groulx, Montréal et Paris, Fides, 1957, X-460 p.; 1960, 525 p.; 1962; 1969.

BRUNET, Berthelot. *Histoire de la littérature canadienne-française*, Montréal, Éditions de l'Arbre, 1946, 180 p.

BRUNETIÈRE, Ferdinand. *Manuel de l'histoire de la littérature française*, Paris, Librairie Delagrave, 1897, 531 p.

DUHAMEL, Roger. *Manuel de littérature canadienne-française*, Montréal, Éditions du Renouveau pédagogique Inc., 1967, 161 p.

GRANDPRÉ, Pierre de. *Histoire de la littérature française du Québec*, Québec, Librairie Beauchemin limitée, tome II (1900-1945), 1968, 390 p.

Histoire littéraire de la France, tome V (de 1848 à 1913), coordination assurée par Claude Duchet, Paris, les Éditions sociales, 1977, 814 p.

LEBLANC, Léopold. *Introduction à la littérature québécoise: guide de l'étudiant*, [Montréal], Librairie de l'Université de Montréal, 1972, 133 p.

MAILHOT, Laurent. *La Littérature québécoise*, Paris, Presses universitaires de France, 1974, 127 p. (coll. Que sais-je?).

ROSSEL, Virgile. *Histoire de la littérature française hors de France*, Lausanne/Paris, Alfred Schlachter et Payot, 1895, 531 p.

ROY, abbé Camille. *Histoire de la littérature canadienne*, Québec, Imprimerie de l'Action sociale, 1930, 276 p.

Manuel de la littérature canadienne de langue française, Montréal, Libraire Beauchemin, 1939, 191 p.; 1940; 1945, 201 p.

Manuel d'histoire de la littérature canadienne-française, Québec, Imprimerie de l'Action sociale limitée, 1918, 120 p.; 1920, 122 p.; 1923, 124 p.; 1925, 132 p.

Tableau d'histoire de la littérature canadienne-française, Québec, Imprimerie de l'Action sociale, 1907, 81 p.

SŒURS DE SAINTE-ANNE. *Histoire des littératures française et canadienne*. Lachine, Mont Sainte-Anne, Procure des Missions, 1944, 567 p. [v. «Littérature canadienne française», p. 319-52]; édition refondue, 1951, 602 p.

Précis d'histoire des littératures française, canadienne-française, étrangères et anciennes, Lachine, Procure des Missions des Sœurs de Sainte-Anne, 1925, 478 p.

TOUGAS, Gérard. *Histoire de la littérature canadienne-française*, Paris, Presses universitaires de France, 1960, 286 p.; 1964, 312 p.; 1967; *La Littérature canadienne-française*, 1974, 270 p.

VIATTE, Auguste. *Histoire littéraire de l'Amérique française, des origines à 1950*, Québec, Presses de l'Université Laval et Paris, Presses universitaires de France, 1954, 545 p.

V. OUVRAGES THÉORIQUES ET MÉTHODOLOGIQUES

1. SUR LA LITTÉRATURE ET LA SOCIÉTÉ

1.1 Volumes et thèses

ACCARDO, Alain. *Initiation à la sociologie de l'illusionnisme social. Invitation à la lecture des œuvres de Pierre Bourdieu,* Paris, Éditions Le Mascaret, 1983, 211 p.

ALTHUSSER, Louis. *Positions,* Paris, Éditions sociales, 1976, 172 p.

BARTHES, Roland. *Le Degré zéro de l'écriture* suivi de *Nouveaux essais critiques,* Paris, Seuil, 1972, 187 p. (Coll. Points).

BELLEAU, André. *Surprendre les voix,* Montréal, Éditions du Boréal Express, 1986, 237 p. (Coll. Papiers collés).

BERQUE, Jacques. *Dépossession du monde,* Paris, Seuil, 1964, 214 p.

BOSCHETTI, Anne. *Sartre et «Les Temps modernes»,* Paris, Éditions de Minuit, 1985, 326 p. (Coll. Le sens commun).

BOURDIEU, Pierre et Jean-Claude PASSERON. *La Reproduction. Éléments pour une théorie du système d'enseignement,* Paris, Éditions de Minuit, 1970, 279 p. (Coll. Le sens commun).

BOURDIEU, Pierre. *La Distinction, critique sociale du jugement,* Paris, Éditions de Minuit, 1979, 670 p. (Coll. Le sens commun).

Le Sens pratique. Paris, Éditions de Minuit, 1980, 475 p. (Coll. Le sens commun).

Leçon sur la leçon, Paris, Éditions de Minuit, 1982, 55 p.

Questions de sociologie, Paris, Éd. de Minuit, 1984, 277 p.

L'Homo academicus, Paris, Éditions de Minuit, 1984, 301 p. (Coll. Le sens commun).

Choses dites, Paris, Éditions de Minuit, 1987, 229 p. (Coll. Le sens commun).

CHARLE, Christophe. *La Crise à l'époque du naturalisme,* Paris, Publications de l'École normale supérieure, 1979.

Naissance des «intellectuels», 1880-1900, Paris, Éditions de Minuit, 1990, 272 p. (Coll. Le sens commun).

DELFAU, Gérard et Anne ROCHE. *Histoire Littérature. Histoire et interprétation du fait littéraire,* Paris, Seuil, 1977, 314 p. (Coll. Pierres vives).

CHEVALIER, Jacques. *L'Analyse institutionnelle,* Paris, Presses universitaires de France, 1981, 411 p.

DUBOIS, Jacques. *L'Institution de la littérature,* Paris/Bruxelles, Nathan/Labor, 1983, (1re édition: 1978), 189 p. (Coll. Dossiers media).

ESCARPIT, Robert. *Sociologie de la littérature,* Paris, Presses universitaires de France, 1958, 127 p. (Coll. Que sais-je?).

(sous la direction de). *Le Littéraire et le social*, Paris, Flammarion, 1970, 315 p. (Coll. Champs).

FAYOLLE, Roger. *La Critique*, Paris, Librairie Armand Colin, 1964, 430 p. (Coll. U).

FOUCAULT, Michel. *L'Archéologie du savoir*, Paris, Gallimard, 1969, 257 p. (Coll. Bibliothèque des sciences humaines).

GLISSANT, Édouard. *Le Discours antillais*, Paris, Seuil, 1981, 503 p.

LAFARGE, Claude. *La Valeur littéraire. Figuration littéraire et usages sociaux des fictions*, Paris, Librairie Arthème Fayard, 1983, 354 p.

L'Institution littéraire, sous la direction de Maurice Lemire. Actes du colloque, Québec, IQRC et CRELIQ, 1986, 217 p.

«L'institution littéraire I», *Littérature*, revue trimestrielle, Paris, Larousse, mai 1981, n° 42, 127 p.

«L'institution littéraire québécoise», *Liberté*, Montréal, mars-avril 1981, n° 134, 160 p.

JAUSS, Hans Robert. *Pour une esthétique de la réception*, Paris, Gallimard, NRF, 1978, 305 p.

MACHEREY, Pierre. *Pour une théorie de la production littéraire*, Paris, Maspero, 1966, 327 p. (Coll. Théorie).

PELLETIER, Jacques. *Le Social et le littéraire. Anthologie*, Montréal, Presses de l'Université du Québec à Montréal, 1984, 367 p.

PONTON, Remy. *Le Champ littéraire de 1865 à 1905*, thèse de troisième cycle, École des hautes études en sciences sociales, Paris, 1977, 511 p.

SARTRE, Jean-Paul. *Qu'est-ce que la littérature?*, Paris, Gallimard, 1948, 374 p. (Coll. Idées).

TADIÉ, Jean-Yves. «La Critique littéraire au XXᵉ siècle», Paris, Pierre Belfond, 1987, 317 f. (Coll. Les dossiers Belfond).

THIESSE, Anne-Marie. *Le Roman du quotidien. Les lecteurs et lectures populaires à la Belle Époque*, Paris, Le chemin vert, 1984, 270 p.
Écrire la France. Le mouvement littéraire régionaliste de langue française entre la Belle Époque et la Libération, Paris, PVF, 1991, 34 P.

TODOROV, Tzvetan. *La Notion de littérature et autres essais*, Paris, Seuil, 1987, 186 p. (Coll. Points).

VIALA, Alain. *Naissance de l'écrivain. Sociologie de la littérature à l'âge classique*, Paris, Éditions de Minuit, 1985, 317 p. (Coll. Le sens commun).
Racine. La stratégie du caméléon, Paris, Seghers, 1990, 228 p.

WILLIAMS, Raymond. *Problems in Materialism and Culture. Selected Essays*, London, Verso Editions, 1980, 277 p.
Marxism and Litterature, Oxford, Oxford University Press, 1977, 217 p.

1.2 ARTICLES

BARTHES, Roland. «Histoire ou Littérature?», *Sur Racine,* Paris, Seuil, 1979, 157 p. (Coll. Points).

BELLEAU, André. «La Démarche sociocritique au Québec», *Voix et Images,* Montréal, vol. VIII, n° 2, hiver 1983. Article repris dans l'anthologie de Jacques Pelletier, *Le Social et le littéraire,* Montréal, Presses de l'Université du Québec à Montréal, 1984, p. 289 à 301. (Coll. Les Cahiers du département d'études littéraires) 1984, p. 289 à 301.

BOURDIEU, Pierre. «Le Marché des biens symboliques». *L'Année sociologique,* n° 22, 1971, p. 49 à 126.

«Champ du pouvoir, champ intellectuel et habitus de classe», *Scolies,* I, 1971, p. 7 à 26.

«L'invention de la vie d'artiste», *Actes de la recherche en sciences sociales,* 2 (mars 1975), p. 67 à 94.

«La production de la croyance. Contribution à une économie des biens symboliques», *Actes de la recherche en sciences sociales,* Paris, n° 13 (février 1977), p. 3 à 18.

«Le champ littéraire. Préalables critiques et principes de méthode», *Lendemains 36,* Berlin, (Jahrgang 1984), p. 5 à 20.

CHARLE, Christophe. «L'Expansion et la crise de la production littéraire (2e moitié du XIXe siècle)», *Actes de la recherche en sciences sociales,* Paris, n° 4 (juillet 1975), p. 44 à 66.

«Situation du champ littéraire», *Littérature,* Paris, n° 44, 1981, p. 8 à 20.

DUBOIS, Jacques. «Lecture sociologique de l'histoire littéraire», *Pratiques,* n° spécial, 1981, p. 85-94.

«Analyse de l'institution littéraire. Quelques points de repère», *Pratiques,* n° 32, décembre 1981, p. 122 à 130.

«Jeu de forces et contradictions dans le champ littéraire de la Belgique contemporaine», *Trajectoires: littérature et institutions au Québec et en Belgique francophone,* PUM/Labor, Bruxelles, 1985, p. 13 à 20.

ESCARPIT, Robert. «La Définition du terme "littérature"», *Le Littéraire et le social,* Paris, Flammarion, 1970, p. 259 à 272.

MELANÇON, Joseph. «L'Autonomisation de la littérature: sa taxinomie, ses seuils, sa sémiotique», *Études littéraires,* vol. XX, n° 1 (printemps-été 1987), p. 17 à 43.

PONTON, Remy. «Naissance du roman psychologique. Capital culturel, capital social et stratégie littéraire à la fin du XIXe siècle», *Actes de la recherche en sciences sociales,* Paris, n° 4 (juillet 1975) p. 66 à 81.

«Traditions littéraires et tradition scolaire. L'exemple des manuels de lecture à l'école littéraire française: quelques hypothèses de travail», *Lendemains,* n° 36, Berlin, (Jahrgang 1984), p. 53 à 63.

REUTER, Yves «Le champ littéraire: textes et institutions», Paris, *Pratiques,*
n° 32 (décembre 1981), p. 5 à 29.

ROUCHY, Jean-Claude. «De l'analyse institutionnelle», Paris, *Connexions,*
n° 6 (1973), p. 83 à 94.

SAINT-JACQUES, Denis. «L'envers de l'institution», *L'Institution littéraire,* Actes du colloque organisé par l'IQRC et le CRELIQ, Québec,
publication de l'Institut québécois de recherche sur la culture, 1986, p.
43 à 48.

2. SUR LA LANGUE

2.1 Volumes et thèses

BAHKTINE, Mikhail (V.N. Volochinov). *Le Marxisme et la philosophie du
langage. Essai d'application de la méthode sociologique en linguistique,* Paris, les Éditions de Minuit, 1977, 233 p. (Coll. Le sens
commun).

BALIBAR, Renée et Dominique LAPORTE. *Le français national, politique
et pratique de la langue nationale sous la Révolution,* Paris, Hachette
littérature, 1974, 224 p. (Coll. Analyse).

BALIBAR, Renée. *Les Français fictifs. Le rapport des styles littéraires au
français national,* présentation de Étienne Balibar et de Pierre Macherey,
Paris, Hachette littérature, 1974, 295 p. (Coll. Analyse).

   *L'Institution du français. Essai sur le colinguisme des Carolingiens à la
   République,* Paris, Presses universitaires de France, 1985, 421 p.
   (Coll. Pratiques théoriques).

BEBEL-GISLER, Dany. *La Langue créole force jugulée. Étude socio-
linguistique des rapports de force entre le créole et le français aux
Antilles,* Montréal/Paris, Éditions Nouvelle-Optique et l'Harmattan,
1976, 255 p.

BENVENISTE, Émile. «Structure de la langue et structure de la société»,
Problèmes de linguistique générale, tome 2, chapitre VI, Paris,
Gallimard, 1974, p. 91 à 102. (Coll. Tel).

BOURDIEU, Pierre. *Ce que parler veut dire. L'économie des échanges
linguistiques,* Paris, Fayard, 1982, 244 p.

CALVET, Louis-Jean. *Pour ou contre Saussure: vers une linguistique
sociale,* Paris, Payot, 1975, 153 p.

   Linguistique et colonialisme: petit traité de glottophagie, nouvelle
   édition revue, Paris, Payot, 1979, 236 p.

CHERVEL, André. *... et il fallut apprendre à écrire à tous les petits
Français, histoire de la grammaire scolaire,* Paris, Payot, 1977, 306 p.

COHEN, Marcel. *Matériaux pour une sociologie du langage,* I, Paris,
Maspero, 1971, 179 p. (Coll. Petite collection Maspero).

«Les commencements de la langue française», *Liberté,* n° 115 (janvier/février 1978), 123 p.

DE CERTEAU, Michel et Dominique JULIA, Jacques REVEL. *Une politique de la langue. La Révolution française et les patois,* Paris, éd. Gallimard, 1975, 317 p. (Coll. NRF, Bibliothèque des histoires).

«Écrire c'est parler», *Études françaises,* vol. X, n° 1 (février 1974), Presses de l'Université de Montréal, 119 p.

GOBARD, Henri. *L'Aliénation linguistique,* Paris, Flammarion, 1976, 298 p.

Histoire de la langue française, 1880-1914, sous la direction de Gérald Antoine et Robert Martin, Paris, Éditions du Centre national de la recherche scientifique, 1985, 642 p.

REBOUL, Olivier. *Langage et idéologie,* Paris, PUF, 1980, 228 p.

VENDRYES, Joseph. *Le Langage, introduction linguistique à l'histoire,* Paris, Albin Michel, 1968, 444 p.

2.2 Articles

BOURDIEU, Pierre. «Le fétichisme de la langue et l'illusion du communisme linguistique», *Actes de la recherche en sciences sociales,* Paris, 1975, vol. I, n° 4.

«Le langage autorisé, notes sur les conditions sociales de l'efficacité du discours rituel», *Actes de la recherche en sciences sociales,* n° 5-6 (novembre 1975), p. 183 à 190.

«L'économic des échanges linguistique», *Langue française,* n° 34 (mai 1977), p. 17 à 34.

«Savoir ce que parler veut dire», *Le Français aujourd'hui,* n° 41 (mars 1978), p. 5 à 20.

ENCREVÉ, Pierre. «Le changement linguistique. Entretien avec William Labov», *Actes de la recherche en sciences sociales,* Paris, n° 46 (mars 1983), p. 67 à 71.

FORNEL, Michel de. «Légitimité et actes de langage», *Actes de la recherche en sciences sociales,* n° 46 (mars 1983), p. 31 à 38.

HOUNTONDJI, Paulin. «Charabia et mauvaise concience. Psychologie du langage chez les intellectuels colonisés», *Présence africaine,* n° 61, 1er trimestre 1967, p. 11 à 31.

LAPIERRE, Jean-William. «L'enjeu politique de l'usage de la langue», *L'État et la culture,* Institut québécois de recherche sur la culture, 1986, p. 151 à 160. (Coll. Question de culture).

LAPIERRE, Jean-William et Alain PRUJINER, «Les conflits ethnolinguistiques: un cadre d'analyse sociopolitique», *Les Cahiers internationaux de sociologie,* vol. LXXIX, p. 295 à 312.

Table

CET OUVRAGE
COMPOSÉ EN TIMES CORPS 11 SUR 13
A ÉTÉ ACHEVÉ D'IMPRIMER
LE DIX-SEPT OCTOBRE
MIL NEUF CENT QUATRE-VINGT-ONZE
PAR LES TRAVAILLEURS ET TRAVAILLEUSES
DE L'IMPRIMERIE GAGNÉ
À LOUISEVILLE
POUR LE COMPTE DES ÉDITIONS
DE L'HEXAGONE.

IMPRIMÉ AU QUÉBEC (CANADA)